PROVERBES
&
MAXIMES

PROVERBES
&
MAXIMES

LOUIS-N. FORTIN

PROMOTIONS MONDIALES/ÉDITIONS ENR.
Montréal – Toronto – New York – Paris

Cet ouvrage, ainsi que les tomes 1 et 2 de la collection Pensées, Proverbes & Maximes, sont distribués au Québec, Canada, par:

LES ÉDITIONS HÉRITAGE INC.,
300, Ave. Arran, Saint-Lambert, Qué. J4R 1K5
Tél.: 1-800-361-6528 (ligne directe sans frais)
Tél. (Montréal): (514) 672-6710

Conception graphique de la couverture:
Christian Bienvenue
Copyright © 4e trimestre 1980 by Louis-Nil Fortin

Dépôts légaux: 4e trimestre 1980
Bibliothèque nationale du Québec
Bibliothèque nationale du Canada

ISBN: 2-89150-007-5
Imprimé au Québec - Canada

Édité et diffusé par:
PROMOTIONS MONDIALES/ÉDITIONS - enr.
425, rue Nadia, BM-522. RR-4,
Drummondville, Qué., Canada, J2B 6V4
Tél.: (819) 477-8287

"BIEN souvent, la haine des faibles ne prend naissance que dans le fait de ne pas pouvoir tenir en main l'objet de leur convoitise."

"L'AMOUR est comme le feu; faute de bois, il s'éteint."

"QUI a de grandes passions s'expose à beaucoup de sacrifices."

"ENCOURAGER autrui et distribuer des compliments: voilà qui est nécessaire pour réussir; mais être encouragé, et se mériter des compliments sincères: voilà qui est essentiel pour être heureux."

"AUCUN être sage ne désire redevenir jeune."

"ON ne déteste vraiment ses défauts que lorsqu'on les voit en action chez autrui."

"CE n'est qu'en proclamant la vraie grandeur de l'homme que l'on devient grand."

"TOUT être humain est aussi jeune que sa foi, aussi vieux que ses doutes."

"DE nombreuses personnes ressemblent à des éponges: elles absorbent n'importe quoi pour peu qu'on les plonge dedans."

"LA vraie liberté va toujours de pair avec la volonté."

"LA paresse, c'est la sépulture de l'homme d'action."

"QUI est plein de lui-même est toujours vide d'autrui."

"IL n'est pas tellement difficile d'acquérir l'art de la conversation; il suffit de parler aux autres d'eux-mêmes."

"LE bonheur n'est pas un objet de luxe; il s'impose et est destiné à être maîtrisé par l'être humain."

"S'IL est agréable d'être important, c'est bien plus important d'être agréable."

"L'ÉDUCATION nous apprend à penser; la propagande nous dit quoi penser."

"ON n'évite pas une catastrophe en absorbant du poison."

"LES hommes ne sont pas égaux que dans la mort; ils le sont aussi dans le sommeil et dans leurs vices."

"CE sont les êtres paresseux qui ont le moins de loisirs."

"ON dit souvent que c'est l'argent qui mène le monde; mais rien n'est plus faux. C'est plutôt la cupidité des uns et la paresse des autres qui couronnent notre pauvre humanité."

"LA pluie abat le vent; et les larmes calment la colère."

"SEULS les morts sont vraiment neutres en tout."

"LA grandeur d'un homme est toujours dangereuse quand elle ne s'accompagne pas d'un grand coeur."

"LE mouvement triomphe toujours du froid et de la faim."

"POUR les êtres qui vivent vraiment, le temps n'a aucune espèce d'importance."

"QUAND la foi en Dieu s'éteint, alors l'amour disparaît."

"CELUI qui se livre à l'étude augmente chaque jour ses connaissances tout en diminuant chaque jour ses passions."

"QUAND l'esprit d'un individu est bien rempli, il ne reste plus alors de place pour les vides d'autrui."

"APPRENDRE à s'aimer soi-même: voilà un des amours qui se fait de plus en plus rare de nos jours."

"LE bonheur naît souvent du malheur; car le bonheur est pratiquement toujours voilé par le malheur."

"DIRE la vérité n'a de sens que lorsqu'on la vit vraiment."

"AVEC la droiture, le sage gouverne; et avec la ruse, le méchant, lui, fait la guerre."

"IL faut toujours se méfier de tous ces gens qui se servent de leurs mauvaises expériences aux seules fins de nous empêcher de réaliser pleinement notre vie."

"UN enfant, c'est la bénédiction pour un père, ou son châtiment."

"UN être d'une intelligence supérieure n'est pas toujours un être raisonnable."

"DANS notre société, il s'agit moins d'empêcher l'homme de mourir que de le faire vivre."

"S'IL est vrai que la plume peut parler plus fort que l'épée, elle ne fait bien souvent que lui ouvrir la voie."

"À force d'agir au sens contraire de la morale, on en vient à douter même de sa valeur."

"L'ORGUEIL n'est toujours fait que d'illusions."

"QUI brûle le temps n'éclaire jamais le monde."

"ON ne pleure pas parce qu'on est malheureux, mais plutôt parce qu'on est égoïste."

"DIEU est éternel parce qu'il est généreux; ce n'est donc qu'en donnant sans cesse qu'on peut espérer l'éternité."

"C'EST toujours en n'accomplissant rien qu'on apprend le plus de mal."

"UN paresseux est toujours riche en excuses."

"QUAND on quitte le sentier de l'honneur, on est loin de la route qui mène à la noblesse."

"LORSQU'ON regarde sans cesse derrière soi, on n'est alors pas en mesure de discerner les idées nouvelles qui viennent au-devant de soi."

"VIVRE, ce n'est pas respirer seulement, c'est agir."

"S'IL faut savoir oser dans la vie, il importe surtout de bûcher et croire en ce que l'on fait."

"L'ABSOLUE confiance divine produit toujours des résultats divins."

"LA meilleure façon d'être rusé en affaires, c'est d'être honnête."

"À la base de tout acte méchant, il y a d'abord la paresse."

"LES méchants sont toujours impatients."

"LES choses les plus difficiles au monde ont toujours commencé par être d'abord aisées."

L'AMOUR est comme la foi: il n'interroge jamais."

"LE véritable amour réside toujours dans le don total et inconditionnel de soi."

"LES êtres qui ne peuvent vous posséder pleinement et égoïstement essayeront toujours de vous détruire un jour ou l'autre."

"QUAND la modération devient le premier souci de l'homme, elle accumule alors abondamment la vertu."

"ON prétend que ce sont les ordinateurs qui mènent le monde, mais il n'est rien de plus faux. Le cerveau humain sera toujours supérieur à l'ordinateur, et cette seule question simple suffit à le prouver: Quoi?"

"L'AMOUR ne peut être vraiment compris et apprécié que s'il est mérité."

"QUI promet à la légère tient rarement solidement sa parole."

"L'AMOUR ne signifie absolument rien quand il ne s'accompagne pas de la bonté."

"LA mère de la pauvreté, c'est la paresse."

"QUAND le monde d'aujourd'hui nous parle de 'liberté de conscience', il veut plutôt dire: 'liberté de ne plus avoir de conscience'."

"UN échec n'a pour seule mission de nous éprouver, non celle de nous arrêter."

"L'AMOUR est comme la mort: on le poursuit sans fin, sans jamais le vaincre ni en être rassasié et le saisir fermement en main."

"APPRÉCIER la vie: voilà une des meilleures façons de la prolonger."

"UNE erreur devient toujours une faute lorsqu'on ne veut pas en démordre."

"C'EST uniquement en combattant la défaite qu'on parvient à la vaincre."

"UN athée est un être à l'esprit vraiment étroit; car il accorde à la nature tous les pouvoirs qu'il refuse à Dieu."

"COMME la rose se manifeste toujours à travers les épines, l'amour s'accompagne sans cesse de petites déceptions."

"QUI trouve beaucoup de choses faciles éprouve toujours beaucoup de difficultés."

"IL n'y a pas vraiment d'amour là où il n'y a pas de connaissance."

"SEULS les êtres au coeur vraiment pur comprennent l'amour."

"QUI a beaucoup d'affection est toujours beaucoup courageux."

"TANT de gens insistent pourtant pour être heureux, mais si peu de gens travaillent à construire leur bonheur."

"QUAND on insiste pour nier Dieu, c'est souvent parce qu'on a beaucoup de remords à étouffer."

"BIEN souvent, le succès n'est que l'envers de la défaite."

"LE temps qui passe est parfois un voleur qui s'en va sur la pointe des pieds en emportant plus qu'il n'apporte."

"ON dit que nous sommes ce que nous mangeons; il convient de comprendre que cet axiome s'applique autant aux aliments de l'esprit qu'à ceux du corps."

"BIEN souvent, ce n'est que parce qu'on se connaît trop soi-même qu'on refuse de faire confiance aux autres."

"TOUT ce qui se fait ne se justifie que par ce qui se fait."

"QUICONQUE juge sévèrement autrui n'agit ainsi que pour châtier ses propres manquements."

"ON ressent vraiment la joie de donner que lorsqu'on donne vraiment, pas quand on prête."

"QUI excelle à vaincre ne lutte jamais."

"NE pas pouvoir se passer de l'être aimé: ce n'est pas là le véritable amour."

"LA raideur et la force sont les compagnes de la mort; la souplesse et la faiblesse, elles, sont les compagnes de la vie."

"AUCUN être malheureux ne connaît vraiment le sens du verbe 'aimer'."

"QUAND on insiste pour se libérer en tout, c'est pour mieux s'enchaîner à ses propres passions."

"AU fur et à mesure que se perd le sens de Dieu, le sens de l'être humain lui-même se perd."

"SOUVENT, pour ne pas trop se faire de mal à soi-même, on crée les autres à son image et à sa ressemblance."

"QUI abandonne ses pensées mauvaises voit vite le monde s'adoucir à son égard."

"LA misère, comme la noblesse, sont toujours les bienvenues dans la demeure de l'homme loyal."

"LE mal n'est pas d'être optimiste ou de se tromper. Non! le mal, c'est de persister dans l'erreur après l'avoir constatée."

"C'EST toujours dans celui qui honore que se trouve l'honneur."

"ON aime toujours à lire les écrits qui parlent de nous."

"IL faut toujours ajuster sa bouche avec son porte-monnaie."

"DANS la vie, le difficile et le facile se produisent toujours simultanément."

"L'ABSENCE dans l'amour, c'est encore la plus belle des lettres."

"QUI ne vit que pour soi ne peut espérer avoir une durée éternelle."

"SE vaincre soi-même: voilà la plus grande et la plus profitable des victoires."

"BEAUCOUP de gens se ruinent en voulant profiter d'une aubaine."

"COMME il en est des femmes honnêtes, on voit rarement les bons livres faire parler d'eux."

"C'EST dans la souffrance que s'effectue la prise de conscience de l'accomplissement de soi-même."

"POUR être heureux, il faut aimer les gens comme ils sont et non comme ils devraient être."

"TOUT le monde parle de Dieu, mais au fond, peu de gens en veulent vraiment."

"SOUVENT, on ne se rend au faîte de l'arbre de la réussite que pour se rendre compte jusqu'à quel point les fruits sont amers."

"LES biens d'une acquisition difficile poussent toujours l'être humain à l'accomplissement d'actes qui lui nuisent."

"BIEN souvent, ce n'est que l'absence qui nous pare des qualités que nous n'avons pas."

"ON passe sa vie à se plaire à donner des conseils aux gens qui ont les faiblesses qu'on n'a pas."

"QUI n'a pas confiance en autrui ne peut espérer avoir la confiance d'autrui."

"QUAND on aime la vie, on ne peut faire autrement qu'aimer Dieu; parce que Dieu est la source même de la vie."

"CE n'est pas toujours chez les grands hommes que réside la sagesse."

"ON peut qualifier un livre de vraiment bon que lorsqu'il rend les gens meilleurs."

"LE bonheur facile, voilà ce qui est le plus difficile à trouver."

"DE nos jours, on s'occupe tellement de la mort qu'on en oublie de vivre."

"QUI n'honore pas celui qui est honorable est foncièrement malhonnête.''

"LA vraie beauté est toujours une source de grande inspiration.''

MIEUX vaut une paix injuste qu'une guerre juste.''

"IL faut vivre pour avancer et avancer pour vivre.''

"CE n'est que lorsque l'on est maître de ses actions qu'on est vraiment libre.''

"UNE fois qu'on a finalement compris que notre vie est faite de la vie de tous ceux qui nous entourent, on ne peut plus alors chercher à ne vivre que 'sa vie'.''

"UN aujourd'hui vaut toujours mieux que deux demains.''

"QUAND on dit aimer la vie, on ne peut faire autrement qu'aimer son prochain; parce qu'autrui fait aussi partie de la vie.''

"AVEC peu de désirs on acquiert toujours beaucoup.''

"SEULE une bonne action peut corriger une mauvaise action.''

"NOUS ne posons vraiment une bonne action que lorsque nous luttons avec nous-même.''

"QUI ne cherche pas à se mettre en lumière brille."

"ON gagne toujours plus en cédant: certes, on perd lorsqu'on abandonne la semence à la terre, mais elle nous rembourse toujours au centuple lors de la récolte."

"UN ami de tout le monde n'est l'ami de personne."

"IL est toujours possible d'être heureux en ce monde, même si on souffre pour ceux qu'on aime."

"TOUT homme est entièrement maître de l'échec ou de la réussite de sa vie."

"DANS notre monde, les repentirs ne se font, bien souvent, qu'à propos des péchés qui n'ont pu être pratiqués."

"MÊME si l'erreur est partout, ceci ne signifie pas que la vérité n'est nulle part."

"CELUI qui ne saisit rien du bien le confond toujours avec le mal."

"CE n'est pas le riche qui doit être méprisé, mais sa richesse."

"UN ami doit être averti d'un défaut, mais jamais blâmé."

"C'EST souvent dans la pauvreté que l'on trouve la bonté; et dans la simplicité que réside la grandeur."

"QUI connaît les hommes est prudent; mais qui se connaît soi-même, celui-là est éclairé."

"EXIGER qu'un poêle dégage de la chaleur sans lui donner d'abord du bois: voilà où, finalement, en est arrivé notre monde."

"L'AMITIÉ multiplie les joies et divise les peines."

"CE n'est que l'amour immodéré de l'argent qui nous fait détester ceux qui en possède."

"NOS lendemains ne sont bâtis que par nos pensées et actes d'aujourd'hui."

"ON est moins souvent exposé à manquer de bonheur quand on se contente du nécessaire."

"JAMAIS on n'est grand autant que l'on est juste."

"CE n'est que dans la pleine lumière de sa fin que l'on peut juger toute chose."

"POUR trouver de la joie en donnant à autrui, il faut toujours avoir l'air de partager plutôt que de donner."

"L'ADVERSITÉ est la seule balance permettant de peser le poids véritable de l'amitié."

"L'AMOUR ne se mesure pas toujours à l'avoir: Dieu est infiniment amour, cependant, combien d'individus seraient disposés à mourir pour leur foi?"

"QUI tient à ses vues n'est jamais bien éclairé."

"SEULS nos actes nous permettent de peser notre vie."

"BIEN souvent, le seul fait de se sentir observé est une incitation profonde à faire le bien."

"CE n'est qu'en chassant la soi-disant science que la vraie science brille et illumine le coeur des hommes."

"SI l'exercice musculaire est ardu, l'exercice mental l'est encore plus."

"LA raison seule ne suffit pas pour rendre les hommes honnêtes; il faut aussi le coeur, beaucoup de coeur."

"LES êtres qui passent tout leur temps à désirer de l'argent ne sont pas autrement que des êtres faibles; car s'ils étaient forts, ils n'auraient pas besoin d'une force aussi éphémère que le papier-monnaie pour les appuyer."

"CE sont toujours les amours les plus chaudes qui refroidissent les plus vite."

"ON ne peut jamais exploser sans éclabousser autrui."

"UN homme sage semble toujours dénué d'activités."

"LA véritable amitié est toujours discrète."

"QUI dompte les autres est puissant, mais celui qui se dompte lui-même est fort."

"QUI ne partage pas ses joies est irrémédiablement un égoïste."

"LA guerre ne règle absolument rien: car c'est toujours des guerres que naissent de nouvelles ambitions."

"UN grand homme s'attache toujours au solide et laisse le superficiel de côté."

"LE véritable gain s'accompagne toujours de sueurs; de même, le vrai bonheur s'accompagne toujours de peines."

"TEL est le jardinier, ainsi sera le jardin."

"LORSQU'ON fait un don, il ne faut jamais exiger de la reconnaissance; car, dans ces conditions, il ne s'agit pas d'un don mais d'un prêt."

"UN impie est toujours un grand faiseur de dieux."

"C'EST seulement au fur et à mesure que les corps vieillissent que les esprits se perfectionnent."

"QUICONQUE est indifférent aux succès et aux insuccès; cet être-là est d'une espèce vraiment supérieure."

"DE nos jours, les jeunes apprennent à faire l'amour avant l'amitié."

"PLUS on aime, plus on souffre; et moins on aime, moins on apprécie la vie."

"CELUI qui donne peut toujours espérer recevoir; mais celui qui ne fait que recevoir, celui-là ne peut plus rien espérer."

"UNE personne qui pleure tout le temps n'a plus le contrôle de ses émotions; mais une personne qui ne pleure jamais n'a tout simplement pas de coeur."

"QUAND on dit aimer toute l'humanité, c'est, bien souvent, parce qu'on ne s'entend plus avec son voisin."

"PLUS les hommes cherchent à s'adapter à la vie actuelle, moins il y a de place pour Dieu dans leur vie."

"LES plus méfiants sont, bien souvent, les êtres dont il faut le plus se méfier."

"C'EST l'ordre, et non la confusion, qui représente le principe dominant de l'univers."

"LES pauvres se sont toujours efforcés de canoniser la pauvreté."

"UNE véritable amitié, c'est comme une étoile. Elle ne brille vraiment que lorsque nous traversons les périodes les plus sombres de notre vie."

"UN coeur lourd est un coeur qui, bien souvent, est vide d'autrui."

"EN ce monde, il est absolument impossible de concilier ensemble les mots Sagesse et Popularité."

"LES paroles sincères ne sont pas toujours élégantes; et les paroles élégantes ne sont pas toujours sincères."

"ON ne sait pas trop au juste comment expliquer le fait que pleurer et rire puisse faire du bien à l'âme; mais une chose est certaine, c'est entre ces deux états d'âme que se situe l'être au grand coeur."

"LA nature divine libérée produit la vertu; mais la nature humaine libérée produit les méchants."

"NOS amis véritables se reconnaissent uniquement parmi les gens qui respectent nos libertés."

"QUI aime vraiment n'abuse jamais."

"QUAND on s'habitue à regarder de très haut, alors la vie n'est pas un bonheur, ni la mort un malheur."

"IL ne faut jamais trop simplifier les choses; car ce n'est pas dans les sentiers de la simplicité, de la négligence même, que résident la justice et l'honnêteté."

"QUAND on n'aime pas les autres, on ne s'aime pas soi-même; car ce que l'on voit chez autrui n'est que l'exact reflet de soi-même."

"PLUS un homme se livre à l'impiété, moins il a de dignité."

"SACHEZ bien que la confiance est un sentiment absolu: on a, ou on n'a pas confiance en quelqu'un."

"UN homme est vraiment un homme à partir du jour où il cesse enfin de se plaindre et de blâmer les autres."

"QUEL que soit le lot des épreuves que peut subir un être, aucune d'elles ne peut atteindre son intelligence."

"LA meilleure façon de déplaire, c'est de trop plaire."

"SI les gens pauvres consacraient seulement la moitié du temps qu'ils perdent à envier et à critiquer les riches afin de combattre leur pauvreté, ils n'auraient plus alors aucune raison de gémir dans leur pauvreté."

"C'EST souvent en s'efforçant d'éviter l'inévitable qu'on augmente sa douleur."

"LE véritable amour commence là où l'amour égoïste finit."

"QUELLE étrange loi que l'amour: plus on aime, plus on retire la liberté de ceux que l'on dit aimer vraiment."

"BIEN souvent, la meilleure action que l'on puisse faire, c'est de ne pas agir."

"IL suffit simplement de regarder le visage d'un être pour connaître le véritable âge de son coeur."

"LE seul moyen de gouverner une nation impie, c'est la violence."

"LORSQUE le doute envahit l'esprit, il le conquiert entièrement."

"L'INDIGENCE et l'indulgence: voilà les deux extrêmes de l'infortune."

"TOUT ce qui passe par les sens parvient à l'intelligence."

"UN aveugle est au moins avantagé en ceci: il ne voit pas vieillir celle qu'il aime."

"LA pauvreté et l'honnêteté ne vont pas plus de pair que la neige et la pluie; elles se ressemblent, c'est tout."

"L'EXCÈS dans la bonté tue toujours le naturel et détruit la vertu."

"ON ne planifie pas toujours sa vie; on la vit au fur et à mesure qu'elle s'ouvre à nous, ou alors on ne vit jamais."

"PLUS un homme devient sage, moins il a d'amis."

"CELUI qui voit le plus clair n'est pas celui qui contemple les autres, mais qui lit en lui-même."

"DONNE plus de loisir à un pauvre et il t'en remercieras; mais donne plus de travail à un riche et il te béniras."

"C'EST en contemplant le visage de nos amis qu'on se rend vraiment compte du fait que nous vieillissons."

"SI le jeûne est indiqué parfois, la modération, elle, l'est toujours."

"LA pureté de l'esprit: voilà qui mène infailliblement à la pureté de la vie."

"UN être ne reçoit jamais ce qu'il souhaite, et désire; il n'a toujours que ce qu'il mérite."

"IL y aura toujours une très grande différence entre l'amour humain et celui des méchants."

"SEULE notre faculté de souffrir ne diminue pas avec l'âge."

"IL est toujours assez riche celui qui n'a rien."

"CEUX qui pleurent bruyamment n'émeuvent jamais."

"PLUS un homme devient sage, moins il a de sentiments."

"LES hommes se choisissent des chefs uniquement parce qu'ils ont la vérité en horreur."

"SEULS les êtres doux, généreux et purs peuvent espérer vivre une vieillesse vraiment heureuse."

"L'ESCLAVAGE extérieur augmente toujours au même rythme de croissance que la diminution de la liberté intérieure."

"LES méfiants sont toujours ceux qui voient chez les autres le reflet de leur propre vie."

"VOICI le seul et unique but de la souffrance: purifier et brûler tout ce qui est inutile et impur."

"LA passion parvient toujours à maîtriser la raison."

"CE n'est pas le fait de mourir jeune qui fait de la peine, mais celui de mourir trop tôt."

"IL n'y a que les paresseux qui ont toujours prétendu que l'argent à lui seul pouvait faire le bonheur."

"IL est des gens qui ont passé toute leur vie à parler sans ne jamais rien dire."

"À force de devenir sage, un homme perd même le goût de rire et de pleurer."

"MÊME si un homme s'éteint, le soleil n'en continue pas moins de briller."

"LE naturel, c'est l'excellence de la franchise et de l'esprit."

"ON ne fait pas confiance à un homme du seul fait qu'il soit pauvre; mais on le bénit et le respecte à cause de son honnêteté, sa fidélité et son grand coeur."

"ON n'aime pas du seul fait qu'on soit pauvre, ou riche; mais on aime parce qu'on est bon et qu'on a un grand coeur."

"UNE douleur naturelle n'est jamais accompagnée de cris."

"LA plus grande des richesses, c'est celle qui possède l'art de se contenter avec peu et d'être heureux de son lot."

"ON peut désirer une foule de choses, mais on ne peut vraiment en aimer qu'une."

"CE n'est que dans les loisirs qu'un homme montre sa vraie grandeur."

"UNE vie propre et un corps propre découlent toujours d'un coeur propre."

"LES êtres n'attirent pas ce qu'ils veulent, mais ce qu'ils sont."

"AUCUN homme ne doit se considérer tel qu'il est; à chaque jour il peut changer et s'améliorer."

"IL est bien certain que c'est la beauté qui attire; mais seule la bonté peut retenir."

"L'ARGENT est comme le fumier: il sent peut-être mauvais, mais qu'on le disperse et il apporte toujours à manger à ceux qui le reçoivent."

"LA vraie colère effraie toujours sans éclats."

"L'AMÉLIORATION de soi est toujours un acte de courage."

"LA gloire n'a jamais nourrit un cadavre en décomposition dans sa tombe."

"LA qualité d'une oeuvre parfaite ne tient jamais dans sa forme, ni dans son apparence."

"QUI est satisfait est sans cesse riche."

"BIEN souvent, ce n'est que dû au fait qu'elle soit l'épouse d'un autre qu'une femme peut plaire à un homme."

"LE paresseux se repose à ne rien faire; mais le sage, lui, se repose même dans l'abondance de travail."

"L'ACTION est la fleur de la pensée; la joie et la souffrance en sont les fruits."

"LES êtres n'attirent pas ce qu'ils veulent, mais ce qu'ils sont eux-mêmes."

"ON atteint la connaissance de ses limites en parvenant à la connaissance de soi."

"LE vrai courage va toujours de pair avec un grand coeur."

"CE n'est que dans la lumière de Dieu que l'homme peut vraiment découvrir ses ténèbres intérieures."

"LA joie et un grand bonheur accompagnent toujours celui qui persiste dans la pureté de ses pensées."

"L'ÂME attire toujours ce qu'elle héberge en secret; soit ce qu'elle aime et aussi ce qu'elle craint."

"LORSQU'ON se compare à l'Auteur de nos jours, on n'a plus guère le désir de se comparer aux êtres qui nous entourent."

"IL est rare qu'un homme soit vraiment brave plus d'une fois dans sa vie; mais faire le brave est une pratique courante chez lui."

"SOUHAITER est le meilleur moyen de rester pauvre."

"QUI achète ce dont il n'a pas besoin devra souvent vendre ce dont il a besoin."

"LES nobles paroles n'atteignent jamais le coeur de la masse des gens ordinaires; par contre, si les paroles fortes y abondent, les paroles grossières, elles, n'y sortent pas."

"QUI possède trop ne jouit de rien."

"IL n'y a pas à dire, l'homme et la femme sont bien faits pour se compléter: lui, il désire avant d'aimer; et elle, elle a besoin d'aimer avant de désirer."

"QUI a la langue légère appesantit souvent son coeur."

"LES impuretés ne collent jamais sur une conscience nette."

"LA faculté d'oublier: voilà qui résout bien des problèmes dans la vie."

"LES bêtises sont toujours les actions les plus faciles à accomplir."

"QUI connaît sa sottise n'est jamais complètement sot."

"BIEN souvent, seule la pauvreté peut nous permettre de nous débarrasser d'amis indésirables."

"PASSER sa vie à se sacrifier pour les autres, et violenter sa nature afin de se conformer sans cesse aux usages d'autrui; voilà le propre de l'être qui vit à l'envers."

"N'IMPORTE qui est parent avec un homme riche; mais le pauvre, lui, peut à son aise choisir ses amis."

"UN souhait: voilà ce qui n'accomplit strictement rien en tout."

"UN acte de générosité flatte toujours l'imagination de celui qui donne."

"CELUI qui n'ensemence aucune graine utile dans le jardin de sa pensée ne devra pas s'étonner d'y voir la mauvaise herbe s'y installer."

"S'IL n'est pas possible à un être de choisir les circonstances qui entourent sa vie, il est cependant tout à fait en mesure de choisir ses propres pensées et ainsi, former directement les circonstances de sa vie."

"SOYONS sans cesse persuadés que Dieu ne nous éprouvera jamais au point de nous inciter à faire le mal; car le Dieu d'amour est aussi un Dieu de bien et de bonté."

"UN vieillard nécessiteux a souvent commencé par être un jeune homme paresseux."

"QUI perd son argent perd beaucoup; qui perd un ami perd encore plus; mais celui qui perd son courage, celui-là a vraiment tout perdu."

"UNE chaussure n'est vraiment parfaite que lorsque le pied ne la sent pas."

"ON aime toujours poser des questions quand on n'a pas de réponses à donner."

"BIEN souvent, un acte de générosité n'est pas autre chose que de la petite politique camouflée."

"L'ÊTRE au grand coeur peut subir la pauvreté et endurer la maladie; mais ce dont il a en horreur, c'est le mépris des autres à son égard."

"ON obtient toujours plus en demandant moins."

"ON prend toujours plaisir à vanter les mérites de la ville dans laquelle on habite."

"L'ÉCONOMIE est toujours une grande source de revenus."

"LA retraite ne signifie pas absence d'occupations."

"TOUS les vrais grands hommes sont humbles."

"CELUI qui purifie et renforce ses pensées ne se préoccupe pas des microbes qui l'entourent."

"ON n'a encore jamais récompensé quelqu'un pour ce qu'il avait reçu; l'honneur et la récompense ont toujours été le lot de l'être généreux."

"L'HOMME fort ne méprise pas la souffrance; il l'apprivoise."

"UN esprit vide est sans cesse un esprit en détresse."

"QUI commence sans terminer perd son labeur."

"COMMENT l'homme pourrait-il sauver l'humanité alors que celle-ci a été perdue par un homme?"

"ON doit, certes, aspirer à la perfection; mais ignorer la perfection en ce monde: voilà ce qu'est la perfection."

"ON traite l'humanité d'insensée, mais on se vante d'avoir un homme sage comme voisin."

"QUI n'économise pas de sous n'aura jamais de dollars."

"QUAND nous faisons le mal, on dit que c'est le diable qui nous tente; mais quand le paresseux ne fait rien, alors c'est lui qui tente le diable."

"AUCUN grand homme ne se laisse vaincre par le mal."

"TANT et aussi longtemps que la pensée n'est pas intimement reliée à un but précis, aucune réalisation intelligente ne peut être rendue possible."

"CELUI qui donne dans le but de recevoir quelque chose en retour ne donne pas vraiment; il troque."

"IL y a une énorme différence entre la souffrance et le malheur; entre la purification de soi et l'échec total et final."

"C'EST toujours le désir du paresseux qui le tue."

"LA plus belle fleur n'est pas toujours la plus douce."

"SOUVENT, on nomme fidélité ce qui n'est que de l'obstination."

"DANS notre monde, seuls les sages sont considérés comme fous."

"CELUI qui ne s'expose que pour la gloire n'est pas civilisé."

"LA plus belle pomme n'est pas toujours la plus tendre."

"C'EST notre impatience qui nous empêche de saisir nos plus beaux rêves."

"QUI sacrifie peu réussit peu."

"QUICONQUE donne dans le seul but de recevoir serait bien plus heureux s'il ne recevait rien."

"ÉTANT donné qu'il faut toujours beaucoup de temps pour parvenir à la réussite, il importe de commencer sans délai."

"LES actes sont les fruits; les paroles ne sont que les feuilles."

"QUI aime vraiment discipline toujours avec amour."

"S'ARRÊTER dès l'instant qu'on ne comprend plus: voilà le summum de l'intelligence suprême."

"TRAVAIL et vertu vont toujours de pair."

"ON finit toujours par croire vraiment quand on croit assez longtemps."

"SEULS les êtres insensés peuvent se permettre toutes sortes de folies sans craindre d'attirer l'attention sur eux."

"L'ENFER, c'est de courir constamment vers ses désirs et finalement les attrapper."

"L'HOMME n'a des déceptions qu'à cause de son insistance pour s'attacher à d'autres êtres."

"LA domination de soi-même: voilà la plus grande conquête en ce monde."

"AUCUNE vie n'est ennuyeuse quand le travail est accompli dans la joie."

"LA persévérance, c'est de savoir ce que l'on veut, avec de la suite dans les idées."

"DÉSIRER, c'est obtenir; aspirer, c'est réussir."

"PRODUIRE nous enseigne chaque jour quelque chose sur la perfection."

"LA volonté dominée par la vision de la réussite reste toujours fidèle aux moyens choisis pour mener au succès."

"LA sagesse d'un homme se mesure par ses actions et non par ses rêves."

"MIEUX vaut un oeuf aujourd'hui qu'une poule demain."

"COMPRENDRE que les malheurs de l'existence ont leur fatalité et que bien des succès ne dépendent que des circonstances, sans non plus s'effrayer à l'approche des difficultés: voilà la véritable bravoure de l'être sage et un peu exceptionnel."

"LA foi, c'est comme une femme: quand on essaie trop de la comprendre, on finit par la perdre."

"DEUX choses sont vitales pour survivre: la foi et le sens de l'humour."

"LA femme fait les enfants par amour; et les hommes, eux, ils tuent les mêmes enfants par méchanceté."

"LE fait d'aboyer beaucoup ne fait pas d'un chien qu'il soit un bon chien."

"MIEUX vaut une rougeur sur le visage qu'une tache sur la conscience."

"ÊTRE et ne pas agir: voilà la plus grande dépense d'énergie de notre temps."

"C'EST la colère des doux, bien plus que celle des coléreux, qui est la plus redoutable."

"IL n'y a jamais de profit sans douleur."

"LE problème, dans notre monde, ce n'est pas d'avoir l'air sincère, mais d'être sincère."

"L'ÉNONCIATION de la vérité est toujours modérée, comme la vérité elle-même."

"LA mission de chaque être naît toujours en même temps que lui."

"SOUVENT, la vérité divise; mais l'amour, lui, unit toujours."

"LE seul fait de parler beaucoup ne fait pas d'un homme qu'il soit grand et sage."

"AUTREFOIS, on violait les femmes et on en mourait; mais aujourd'hui, on viole les consciences et on en rit."

"PLUS un homme est petit, plus il veut grimper haut."

"MOINS un homme a d'idées, plus il devient grand."

"UNE bonne promesse vaut toujours mieux que de mauvaises réalisations."

"UN homme sage, vraiment sage, c'est celui qui laisse tranquille ce qui est tranquille et qui ne s'inquiète vraiment que de ce qui pourrait le troubler."

"VOICI l'un des plus beaux joyaux de la sagesse: le calme de l'esprit."

"UN sot qui camoufle ses sottises est meilleur qu'un sage qui cache sa sagesse."

"SAVOIR se mettre au niveau des autres: voilà l'essence même de la vraie grandeur."

"LA chance, ce n'est, bien souvent, que l'exacte récolte d'une graine de semence nommée travail."

"LES hommes s'enivrent et se livrent à la luxure; ensuite, ils font la guerre pour apaiser leur conscience."

"SEUL l'humour peut corriger sans blesser."

"SEULS les êtres insupportables insistent pour être aimés."

"LA largeur d'esprit d'un grand homme se mesure par les actions qu'il accomplit sans se faire remarquer."

"IL faut toujours être sans cesse prudent dans la prospérité, et patient dans l'adversité."

"LA racine du travail est parfois amère, mais la saveur de ses fruits est toujours exquise."

"QUAND un honnête citoyen respecte la vie et la propriété d'autrui, on l'honore en temps de paix; mais on le traite de lâche en temps de guerre."

"LE coeur du sot est dans sa bouche, mais la bouche du sage est dans son coeur."

"L'ÊTRE au grand coeur couronne toujours chacun de ses jours par une action noble."

"L'OBÉISSANCE même est remise en question quand l'autorité est contestée."

"LE moment le plus triste dans la vie d'un individu est celui où il pense qu'il en a assez appris."

"SANS loyauté, aucun être ne peut rien accomplir, dans quelque domaine que ce soit."

"SEULS les êtres vraiment libres sont obéissants de coeur."

"TOUT ce qui est rassemblé par le travail s'accroît."

"DÈS l'instant qu'on arrête d'apprendre, c'est alors que nous arrêtons de nous développer."

"TANT qu'il ne blâme pas quelqu'un d'autre, aucun homme ne doit se considérer comme un raté."

"AVEC le jugement de la vraie justice viennent aussi la miséricorde et l'indulgence."

"LES guerres ont au moins ceci de bon en ce sens qu'elles permettent de faire ressortir la vraie nature des hommes."

"LA rébellion, ce n'est pas d'avoir le sens critique, mais l'esprit critique."

"LE résultat d'une guerre dépend toujours du côté où il y a le plus de tueurs à gage."

"SOUVENT, l'humilité d'un homme est sa dernière vertu qui s'effondre."

"AUTREFOIS, on disait la vérité par honneur; et aujourd'hui, on dit un mensonge par diplomatie."

"LE sage devient sage par la sottise des autres; mais le sot, lui, devient sot par sa propre sottise."

"IL n'y a que ce qui est vraiment mérité qui est honorable à recevoir."

"CE qui est classé comme de la drogue chez les malfaiteurs devient une ordonnance médicale pour le pharmacien."

"LE bonheur humain durable est toujours tissé avec les fils de la prudence."

"IL importe de savoir que les bonnes choses de la vie n'arrivent jamais facilement; elles sont peut-être gratuites parfois, mais jamais faciles à obtenir."

"DANS la vie, travailler importe peu; mais la vie devient intéressante dès l'instant qu'on commence à se passionner pour son travail."

"C'EST toujours celui qui fabrique sa chance qui attire la chance."

"IL n'y a pas de plus grand prometteur que celui qui n'a rien à offrir."

"AUTREFOIS, on condamnait les paresseux; et aujourd'hui, on louange les lâches."

"CE que le sot ne peut apprendre, il en rit."

"L'INDIFFÉRENCE: voilà le plus grand désespoir de l'homme."

"UN homme endetté est un oiseau en cage."

"L'HOMME généreux s'enrichit en donnant, et l'avare amasse lui-même sa pauvreté."

"UNE femme qui vend ses charmes est une prostituée; et une femme qui montre ses charmes est une artiste."

"PLUS un homme est faible, plus il a d'opinions."

"QU'IL est agréable d'excuser ses échecs à cause de son honneur et de son honnêteté."

"AUTREFOIS, les quarante voleurs pillaient les riches et remplissaient leur caverne; et aujourd'hui, les banquiers pillent les pauvres et remplissent leurs voûtes."

"IL ne faut jamais oublier que c'est seulement en descendant une pente que la vie devient plus facile."

"C'EST dans la lutte que se trouvent l'excitation et le progrès."

"DANS quelque entreprise que ce soit, ce qu'il importe d'abord de faire, c'est de commencer."

"SEUL celui qui y tend sérieusement possède déjà la vie éternelle."

"CE qui se nomme un acte crapuleux dans la vie devient un acte d'héroïsme sur le champ de bataille."

"QU'IL ait perdu sa réputation, son foyer ou sa famille, l'être exceptionnel qui a appris à donner ne peut jamais perdre sa capacité de donner."

"QUI n'a peur de rien est déjà mort."

"CE qu'on nomme 'meeting' chez les businessman devient un complot chez les traficants."

"L'AMOUR ne croît que dans la bienveillance."

"C'EST en prévoyant la peur qu'on peut mieux la vaincre."

"QUICONQUE tombe dans le péché est un homme; celui qui s'en afflige est un saint; et celui qui s'en vante est un démon."

"LA langue des sages est un arbre de vie, mais celle des sots est une brèche de l'esprit."

"UN riche qui fait semblant d'être bon est un être civilisé; mais un pauvre qui fait semblant, passe, lui, pour un hypocrite."

"IL ne faut jamais faire confiance à quelqu'un qui est plein de suffisance de soi."

"UN homme commence vraiment à être un homme le jour où il résout son premier problème."

"ON se complaît toujours plus dans la compagnie des êtres qui nous ressemblent, qu'ils soient sages ou idiots."

"LA maladie a ceci de pratique qu'au moins, elle nous aide à vaincre l'ennui."

"CE n'est pas le fait d'avoir commis un péché qui est grave, mais l'absence de repentir."

"LA loi nous apprend à haïr les assassins et à honorer les tueurs à gage qui meurent sur le champ de bataille."

"ON se sent toujours heureux quand on se sent moins malheureux que les autres."

"MIEUX vaut rêver à ce que l'on aime que de passer toute sa vie à aimer le rêve."

"AUTREFOIS, la religion était une affaire intime entre l'être et Dieu; aujourd'hui, la religion est devenue une affaire de diplomatie entre les chefs religieux et politiques."

"UNE seule habitude peut nous perdre... ou nous sauver."

"PLUS un homme reçoit, plus il hait la main qui donne."

"PLUS un homme sait de choses, moins il comprend de choses."

"ON n'est pas heureux avec son intelligence, mais avec son coeur."

"AVANT la création, la planète était vide et calme; et aujourd'hui, elle est polluée et dangereuse à y vivre."

"UN désir noble vaut mieux qu'une réalité ignoble."

"CE que la loi définit comme un recel chez les gens de la pègre devient un prêt hypothécaire pour les gens de la finance."

"C'EST dans la responsabilité qu'on parvient enfin à se découvrir soi-même."

"SOUVENT, on se plaint du manque de temps alors que c'est tout simplement le goût de vivre qui n'est pas au rendez-vous."

"AUCUNE statistique ne remplacera jamais le jugement."

"LA persévérance: voilà qui entraîne toujours la confiance en soi."

"LE monde nous prend toujours pour ce qu'on lui montre."

"LES mots sont comme les billets de banque: ils n'ont que la stricte valeur qu'on leur accorde."

"TOUT grand succès a d'abord débuté par un seul rêve nourri de beaucoup d'enthousiasme."

"LES déserts sont toujours créés par des êtres stériles et arides."

"CE n'est que dans l'adversité qu'un grand homme a l'occasion de faire connaître son courage."

"QUAND un homme ne connaît pas la peur, alors il n'est pas brave; car être brave, c'est vaincre la peur."

"Il faut toujours accepter d'être vraiment beau avant d'être beau."

"LES souffrances, bien plus que les jouissances, scellent un grand amour."

"AVOIR trop d'amis est aussi nuisible que d'avoir trop d'ennemis."

"MIEUX vaut être pauvre et sage que riche et insensé."

"L'HOMME vraiment sage s'améliore toujours dans la dignité et dans la joie."

"IL y a deux grandes malédictions en ce monde: avoir trop d'argent et trop d'intelligence."

"QUAND on n'admet pas les erreurs des autres, c'est alors que nous les jugeons."

"CELUI qui dit la vérité n'a jamais besoin de témoins, car la vie elle-même témoignera toujours pour lui."

"IL y a deux grandes calamités en ce monde: les paresseux et les gens qui ont beaucoup d'idées."

"SE plaindre: voilà le seul art que la plupart des gens possèdent."

"UNE bonne vie: voilà qui prévient beaucoup de rides."

"LE rire, c'est encore le meilleur remède qu'on ait trouvé afin de nous consoler de ce que l'on est."

"UNE bonne conscience, c'est encore le meilleur remède pour bien s'endormir."

"LA patience: voilà qui apaise bien des douleurs."

"PUIS Dieu dit: 'Faisons l'homme...'; ensuite, les problèmes ont commencé sur la terre."

"QUAND la langue du sot disperse, sa main retient; et lorsque la langue du sage retient, sa main à lui disperse."

"IL n'a jamais été dit que le découragement était une honte; mais ce qui est honteux, c'est de se laisser vaincre par le découragement."

"ON ne voit vraiment clair que lorsque nous lisons dans nos propres pensées."

"PLUS un homme est instruit, moins il connaît les hommes."

"CELUI qui a peu à dire parle toujours beaucoup trop."

"IL convient de savoir que l'intuition n'a aucun rapport avec la raison; il s'agit exclusivement d'une qualité de l'esprit qui guide les grands coeurs."

"LA patience, c'est encore le meilleur bouclier contre les affronts."

"LE mystère n'a été inventé que pour suppléer aux limites de l'intelligence humaine."

"LÀ où l'ignorance habite, la sottise est toujours bienvenue."

"MIEUX vaut ne rien dire que de n'avoir rien à dire."

"QU'IL ait tort ou raison, tout être humain a le droit de s'exprimer."

"AUTREFOIS, voler était considéré comme un crime; et aujourd'hui, l'idée même du travail est devenue une forme d'oppression."

"LA modération: voilà la mère de toutes les autres vertus."

"IL faut toujours imaginer sa vie comme on la désire vraiment."

"IL est toujours réconfortant d'écouter les malheurs des autres."

"L'INSENSÉ ne peut pas prendre soin de ce qu'il n'a pas."

"IL ne faut jamais s'attendre de recevoir quoi que ce soit quand on n'est pas disposé à donner quoi que ce soit en retour."

"QUI n'a pas d'ambition est, soit un lâche ou un paresseux."

"TOUT être humain ressemble à une pièce de monnaie; d'un côté il y a la gloire; et de l'autre, il y a la bête."

"QUAND on cherche l'inspiration, il faut avoir la patience de l'attendre."

"SEULS les enfants ont le droit d'avoir des enfants bien à eux."

"LES autres sont toujours comme on les estime: des esclaves, des tyrans ou des seigneurs."

"LA connaissance humilie le grand homme, étonne l'homme ordinaire, et gonfle le petit homme."

"MIEUX vaut un ennemi qui pense à nous constamment que dix amis éloignés."

"LA gloire d'un homme se mesure à sa force et non à sa langue."

"L'ESCLAVAGE se termine là où commence la conscience."

"QUI est sans cesse dépourvu ne peut jamais espérer devenir véritablement grand."

"SEULS les êtres généreux et en paix avec leur conscience peuvent se permettre de sourire."

"QUAND un sot parle, la voix même du sage est annulée."

"DERRIÈRE toute humilité, il y a souvent l'ambition qui veille à la porte."

"MIEUX vaut la loi de l'amour que l'amour de la loi."

"LA pire cruauté de la guerre, c'est de rendre coupables ceux qui, par conscience, veulent s'en tenir à l'écart."

"TRAITEZ votre épouse comme une princesse et elle se comportera toujours comme telle."

"QUI humilie son frère s'en repentira toujours un jour ou l'autre."

"L'HOMME, c'est encore la bête la plus dangereuse de la planète."

"NOS paroles sont comme le jeu de billard: comme une boule, chaque mot modifie le jeu de la vie."

"RARES sont les hommes qui peuvent espérer devenir un jour des héros; mais tous sont en mesure d'être à chaque jour des hommes."

"COMMENT une personne qui ne sait pas comment employer sagement une seule heure de sa vie peut-elle envisager l'éternité?"

"L'HOMME n'a pas été créé pour le hasard, mais pour la lutte."

"QUI est disposé à écouter une opinion contraire est apte à diriger."

"CELUI qui suit les autres est un mouton; et celui qui se sépare des autres est un rebelle et un égoïste."

"S'AIMER soi-même, c'est aider les autres à devenir ce qu'ils devraient être."

"UNE société libre, c'est une société dans laquelle chaque être humain devient le seul responsable de ses actes."

"L'OPTIMISME, associé de beaucoup d'enthousiasme: voilà ce qui garantit n'importe lequel but."

"LA maladie est vraiment quelque chose de merveilleux; car sans elle, comment pourrions-nous alors nous améliorer?"

"LA perfection dans l'emballage distingue toujours le chef du simple cuisinier."

"MARCHER sur la peine des autres: voilà la définition de la jeunesse."

"AUCUN esprit ne peut recevoir la vérité tant et aussi longtemps qu'il n'est pas prêt à la recevoir."

"QUEL drôle de paradoxe: la police combat les tueurs bénévoles, et l'armée, elle, forme des tueurs à gage."

"ON a toujours l'impression d'être meilleur après avoir commis un péché."

"BÉNISSONS le ciel quand les choses vont mal; car c'est ainsi afin de redresser notre sens des responsabilités."

"IL n'y a parfois de salut que dans nos propres malheurs."

"CE sont toujours nos idées de ruine qui attirent la catastrophe."

"IL faut d'abord rêver à quelque chose de grand afin de pouvoir faire de grandes choses."

"DÈS l'instant ou une décision est prise, les ennuis et les problèmes ne tardent pas à disparaître."

"IL suffit du baillement d'un seul pour produire une épidémie de baillements."

"ON insiste pour que vous donniez votre opinion... jusqu'au moment où vous vous mettez en train de la donner."

"C'EST en changeant la pensée qu'on change la réalité."

"CE qu'on qualifie de bestial chez les bêtes, on le nomme de la faiblesse chez les hommes."

"DE nos jours, presque tout le monde veut vivre sans produire, et presque personne n'est intéressé à produire même pour vivre."

"QUI fuit la réalité ne peut jamais aspirer au bonheur."

"LE temps arrange bien des choses, y compris notre coeur."

"MIEUX vaut le faux pas du pied que celui de la langue."

"L'ORDRE et l'harmonie apportent toujours la sécurité."

"LE savoir ne sert absolument à rien s'il n'est pas accompagné de la compréhension."

"LES défauts passent toujours inaperçus quand nous ne les cherchons pas."

"IL n'y a que la foi et l'amour pour ouvrir toutes grandes les portes de la compréhension."

"LA chasteté se situe toujours entre l'abstinence et la contenance."

"C'EST la vraie morale qui grandit l'homme, non l'inverse."

"IL y a autant d'intelligence chez le lâche que chez le paresseux."

"ON n'a plus guère envie de juger les autres lorsqu'on se voit comme Dieu lui-même nous voit."

"PLUS un homme est haineux, plus il se dessèche."

"L'HUMILITÉ est une preuve de force, non de faiblesse."

"ÊTRE brave, c'est de résister à la tentation; mais succomber devant ses faiblesses, c'est capituler, être lâche."

"LE bonheur n'a vraiment de sens que lorsqu'il est supportable."

"L'ÉCHEC a trois alliées: l'incompétence, l'égoïsme et la paresse.

"POUR parvenir enfin à la réussite en tout, il faut sans cesse appliquer la règle des trois 'T': Travailler, Travailler, et encore Travailler."

"QUI n'a pas foi en Dieu ne peut pas avoir foi dans les hommes."

"L'IGNORANCE a au moins ceci de commode qu'elle est à la fois le repaire par excellence du méchant, du sot et du sage."

"DANS la vie, on n'obtient toujours que ce que l'on voit; et quand l'imagination ne voit rien, alors on n'obtient rien."

"C'EST humain de se tromper, mais diabolique de persévérer dans l'erreur."

"PLUS on envie un ennemi, plus il s'améliore."

"LE vrai bonheur n'a pas de frontières."

"QUI a beaucoup de vices a toujours très peu d'amour."

"UN être qui se trompe n'est pas un sot; il est tout ce qu'il y a de plus normal."

"L'AMOUR avec raison et sans passions est toujours le plus long."

"UN coeur étroit n'a jamais de place pour l'amour."

"LE vainqueur conquiert d'abord le doute et la crainte; ensuite, il n'éprouve aucune difficulté à vaincre l'échec lui-même."

"LE sot vit et respire, mais n'apprend jamais rien."

"LE seul fait de respirer n'est pas un signe de vie; l'huître n'en fait-elle pas autant?"

"LA honte, c'est la couronne de la sottise."

"LA patience dans l'attente: voilà qui donne le temps à Dieu de nous faire connaître le sentier de la sagesse."

"LA femme qui surveille son poids rallonge sa vie de dix ans; et l'homme qui vit dans les tracas raccourcit la sienne de dix ans."

"LIRE, c'est aller à la recherche de la liberté."

"LE Maître a ordonné de proclamer l'Évangile; non pas de l'analyser ni de l'adopter à notre temps."

"TOUT le monde recommande la patience, mais peu de gens sont disposés à endurer la souffrance."

"LA sagesse n'a de sens qu'en autant qu'elle puisse s'accommoder de la sottise sans s'en plaindre."

"LA sottise n'a pas besoin d'eau pour pousser; elle pousse toujours seule et vite dans les déserts les plus stériles."

"PERSONNE en ce monde ne peut vraiment fonctionner à l'intérieur tout en étant immobile à l'extérieur."

"QUI aime vraiment est lent à oublier."

"LA mort d'un être ne change strictement rien dans l'avenir de l'humanité; de même, une journée ratée ne change strictement rien dans la vie d'un être."

"LE repentir, c'est le tribut que le vice paie à la vertu."

"L'IGNORANCE, c'est la mère de l'imprudence."

"QUI passe tout son temps à analyser ses erreurs n'a plus de temps pour jouir de ses labeurs."

"LES gens qui réussissent dans la vie sont toujours disposés à accomplir les tâches que les ratés refusent de faire."

"IL ne faut jamais oublier que Dieu est la plus grande source d'énergie dont l'humanité a le plus grand besoin de nos jours."

"IL est toujours commode pour l'astucieux de laver sa conscience dans l'ignorance."

"VOICI la vanité des vanités: faire semblant de vivre comme si tout devait durer."

"EN obéissant à son supérieur, on instruit son inférieur."

"IL est toujours plus facile d'être sage pour les autres que pour soi-même."

"MONTREZ-moi une personne qui critique autrui et je vous montrerai une personne orgueilleuse."

"ON se sent toujours plus à l'aise au milieu de gens qui nous ressemblent."

"MOINS un être a de l'intelligence, moins il comprend et plus il souffre.'

"LES femmes et les guerres se ressemblent en ce sens que les hommes passent toute leur vie à se battre pour les gagner, ou les perdre."

"UNE table de banquet n'est pas utile si la sérénité n'est pas chez les convives."

"ÉCRIRE, c'est amener les gens à réfléchir sur les mots qu'ils emploient tous les jours mais dont ils oublient le sens à cause de l'énervement de la vie."

"UN enfant, c'est la réponse à la prière de l'humanité."

"QUI ne sème pas d'épines ne peut espérer récolter de roses."

"QUI blâme autrui doit être pur."

"QUI a peur de la mort doit s'éloigner du péché."

"QUI dit la vérité doit s'attendre à trouver de nombreuses portes closes autour de lui."

"LA vérité du pauvre est plus supportable que le mensonge du riche."

"LE glouton met son porte-monnaie dans son ventre; et l'avare, lui, met son ventre dans son porte-monnaie."

"UNE bonne conscience est toujours le meilleur des compagnons."

"IL ne faut jamais acheter un château quand on n'a pas les moyens de se payer les serviteurs pour l'entretenir."

"VOICI la plus grande menace pour l'humanité: l'esprit d'un homme intelligent privé de moralité."

"IL ne suffit pas simplement d'agir pour travailler."

"QUI s'attend à des succès à court terme doit toujours s'attendre à récolter des échecs à long terme."

"CE n'est qu'en s'honorant qu'on parvient à s'aimer."

"SEULE la simplicité est à la base d'une vie heureuse."

"BIEN souvent, le seul fait de se livrer à la gloutonnerie procure une satisfaction instantanée à un coeur triste."

"ON n'a pas besoin des autres pour ressentir la peur; mais sans la présence de témoins, il n'est pas possible d'être brave."

"LE courage et la vertu n'ont aucun rapport; car la vertu, elle, n'a pas besoin de témoins pour s'affirmer."

"L'HOMME de coeur essaie toujours d'être comme il aime que les autres soient."

"QUI veut prouver son amour doit toujours faire des sacrifices."

"QUI hait autrui le porte en soi toute sa vie durant."

"L'HUMILITÉ, c'est la délivrance de l'orgueil et de l'arrogance."

"LE chemin de la vraie connaissance est toujours orienté vers la lumière."

"IL suffit qu'un être souffre pour qu'on le laisse enfin tranquille."

"MIEUX vaut mal faire une bonne action que d'en faire une mauvaise avec art."

"QUAND l'égoïsme et l'ingratitude s'installent, alors l'amour ne tarde pas à disparaître."

"EN cultivant le sens de l'humour, on s'épargne bien des soucis."

"MIEUX vaut faire demi-tour que de continuer dans la mauvaise direction."

"MIEUX vaut n'avoir aucune excuse que d'avoir une mauvaise excuse."

"AVEC le temps, même le temps est devenu égoïste, comme les hommes: il nous enlève rapidement nos années et nous laisse bien peu de choses en compensation."

"LA vie est un don gratuit qu'on acquitte au centuple quand vient finalement le jour ou la mort fait ses comptes avec nous."

"SI la souffrance n'est pas pour les bêtes, c'est qu'elles n'en n'ont pas besoin étant donné que leur coeur n'est pas méchant, elles."

"AU fond, la méfiance qu'on entretient à l'égard des autres n'est pas autre chose que de la défiance de soi soigneusement camouflée."

"UNE déception, bien plus qu'une caresse: voilà ce qui nous fait le plus avancer dans la vie."

"LE malheur de la femme, c'est la faiblesse et la lâcheté de l'homme."

"LES problèmes sont toujours très nombreux quand le but est irréalisable."

"QUAND une bête abandonne ses petits, on prend soin des petits et on abât le père; mais quand un homme abandonne ses enfants à leur sort, on laisse les enfants à eux-mêmes et on prend soin du père."

"UNE femme qui prend l'initiative mais qui échoue est une femme rebelle et insoumise; mais celle qui réussit un bon coup devient, par contre, une bénédiction pour son mari."

"VOICI la chose la plus importante qu'il importe d'apprendre très tôt dans la vie: VOUS êtes le SEUL maître de VOS pensées."

"QUI imite les autres n'est plus soi-même."

"VOTRE succès ne se mesure pas par ce que vous faites, mais selon ce que vous êtes."

"ON vous demande votre opinion; ensuite, on vous déteste."

"IL n'y a que les faibles et les paresseux qui passent toute leur vie à prendre des décisions."

"C'EST uniquement la crainte de mal faire qui attire les mauvaises décisions."

"LE succès, c'est de la faillite assortie de beaucoup de patience."

"LE rêve, c'est l'un des derniers plaisirs qui soit tout à fait à l'abri de l'inflation."

"LE péché est comme la rouille: il détériore toujours celui qui le pratique."

"PLUS l'objet des désirs est précieux, plus le prix est élevé."

"IL ne faut jamais oublier que certains de nos ennemis ne le sont que par notre faute."

"LE mariage, c'est encore la meilleure assurance contre ses solitudes insupportables."

"LES regrets sont comme les policiers: ils arrivent toujours quand le malfaiteur n'est plus là."

"IL ne peut jamais y avoir d'humilité sans humiliations."

"S'AMÉLIORER, c'est aussi un bon moyen de se libérer."

"NOUS sommes toujours privés des bonnes choses lorsque nous voyons les autres en jouir."

"IL suffit d'avoir un marteau dans ses mains pour voir ses difficultés disparaître comme autant de clous."

"QUI juge et condamne commet toujours une bêtise irréparable."

"CE qui est de la faiblesse chez les femmes se traduit par de la virilité chez les hommes."

"VOUS ne devez jamais oublier que c'est votre vie que vous construisez, non un empire."

"AUCUN véritable grand homme ne perd son coeur d'enfant."

"CHAQUE jour ressemble à un nouvel enfant; il suffit de le tenir enfin dans ses bras pour l'aimer tout de suite."

"UN regret, c'est le bébé qui naît après terme."

"ON ne peut jamais recevoir plus que le vase peut contenir."

"IL faut souvent se méfier de son imagination; car parfois, certains rêves ne sont que des cauchemars."

"L'ORDRE ne doit pas régner que dans les pièces de la maison, mais aussi dans l'esprit des membres de la maisonnée."

"SEULS les êtres méchants, qui ont peur de la vérité, insistent pour que la masse se range de leur bord."

"PENSEZ à la défaite, puis soyez assuré de la recevoir."

"IL faut toujours décider ce qui est bien avant ce qui plaît."

"L'IMPÔT saisit le salaire du travailleur et se le partage avec le paresseux."

"QUAND une prostituée se fait prendre, on exige d'elle une amende; mais si la même prostituée fait un enfant, alors on lui pait un dividende à vie."

"RATER sa vie familiale: voilà le plus grand échec qu'un homme puisse essuyer."

"LA crainte de la défaite et de l'humiliation: voilà la mère de l'indécision."

"DE nos jours, tous les hommes se battent pour se partager la terre, comme s'ils en étaient les propriétaires."

"ÊTRE soi-même un véritable ami: voilà la seule façon de garder un ami."

"ON devient vraiment malheureux dès l'instant ou le rêve devient notre seule raison de vivre."

"ON se sent toujours quelqu'un de bien quand on n'a pas les défauts des autres."

"LE faible cherche toujours à satisfaire ses désirs avec le moins d'efforts possible."

"LE vrai vainqueur, c'est celui qui a le courage et l'audace d'admettre une défaite."

"MIEUX vaut endurer un silence qu'une parole désobligeante."

"UN coeur obstiné ne doit jamais craindre de pénuries de chagrins."

"OPÉRER un changement: voilà la seule chose qui reste à faire après avoir commis une erreur."

"À moins qu'un homme n'agisse comme un homme; autrement, comment pourrait-il espérer être traité comme tel."

"PLUS un homme raisonne, moins il a de courage."

"IL n'y a rien comme la souffrance pour rénover le coeur de l'homme."

"ÊTRE courageux et brave sans être habile: voilà qui est aussi dangereux que de laisser jouer un enfant avec de la poudre à fusil et des allumettes."

"LE bonheur, c'est d'être d'abord en paix avec sa conscience."

"UN pauvre, c'est un être malchanceux qui n'a pas eu la chance d'être riche, mais qui se comporterait comme un riche s'il était riche."

"LA pauvreté n'a aucune espèce de liaison avec un coeur noble et grand."

"C'EST toujours par le chemin du coeur qu'on parvient le mieux à l'esprit."

"QUI passe sa vie à ne fréquenter que soi-même a toujours souffert de bonne compagnie."

"LA miséricorde adoucit toujours la justice."

"PERSONNE en ce monde n'est obligé d'accepter les choses telles qu'elles sont."

"DONNER est toujours plus facile qu'aimer; et la louange est préférable à la gloire."

"UNE conscience nette peut toujours supporter toutes sortes de souillures."

"AUX yeux de l'être pur, toutes choses sont pures."

"NULLE compétence n'est requise pour résoudre ses propres problèmes."

"PERSONNE n'a besoin d'être poète pour traduire ses sentiments."

"LE vrai courage s'affirme toujours en passant par la prière."

"ON a toujours bonne conscience quand on critique les défauts des autres, que nous n'avons pas nous-même."

"IL n'y a aucune raison au monde pour laquelle l'être humain devrait vivre au-dessous de ses possibilités."

"QUI ne brise pas les lois n'a jamais à faire de lois."

"LES lèvres légères n'errent jamais quand la sagesse veille à la porte."

"L'HOMME n'est malheureux que parce qu'il est esclave de ses illusions."

"LE temps: voilà le meilleur remède à bien des maux."

"CELUI qui ne croit pas au succès n'a aucune raison de le recevoir."

"ON attire à soi la sorte d'expérience à laquelle on accorde le plus d'attention."

"MIEUX vaut être à court d'argent qu'à court de coeur."

"QUAND vous n'avez rien à perdre, alors c'est parce que vous n'avez même plus de réputation."

"LA prochaine fois que l'on dira méchamment du mal de vous, alors pensez à l'abeille: il est vrai qu'une piqûre d'abeille fait souffrir, mais n'oubliez pas qu'à chaque fois que l'abeille pique, elle subit alors une blessure qui peut lui être fatale."

"MOINS un homme pense, plus il se rapproche de la bête."

"IL n'y a que deux tragédies en ce monde: naître et mourir. On ne naît que pour mourir, et on meurt parce qu'on a vécu."

"CE que vous ne dites pas, vous n'aurez jamais à le redire."

"L'ERREUR, c'est le meilleur moyen humain de connaître le bien."

"QUI aime trop se conserver pourrit toujours très vite."

"HEUREUX est l'homme qui a enfin trouvé la Sagesse... et qui la retient."

"LA beauté sans la grâce est une fleur sans parfum."

"QUI sème l'iniquité récoltera toujours du chagrin."

"LES mots font voir l'esprit d'un homme; mais ce sont ses actions qui mettent son coeur à nu."

"DONNER, c'est le meilleur moyen de sortir de soi-même."

"BIEN souvent, il n'y a que l'égoïsme pour rendre l'amour possible."

"ON dit souvent que 'Voir, c'est croire'; mais c'est plutôt le contraire qui est exact: il faut toujours croire pour pouvoir voir vraiment."

"TOUTE vérité n'est pas bonne à taire, comme toute erreur n'est pas bonne à dire."

"LA calomnie expire toujours à la porte du sage."

"CELUI qui est plein de n'importe quoi est toujours vide de tout."

"DE nos jours, on amincit sa taille sans se soucier de son esprit qui épaissit."

"IL faut d'abord rafraîchir la vie des autres afin de leur permettre de germer, prendre racine et s'épanouir à leur tour."

"S'IL fallait couronner la sottise, notre pauvre humanité connaîtrait très vite une pénurie de sujets."

"LA patience, c'est l'amarre du coeur."

"LE travail, c'est la forme la plus stimulante et agréable du jeu qui soit."

"UN être qui ne produit pas ressemble à une dent qui se carie; rapidement, il corrompt les autres."

"C'EST lorsqu'on se laisse guider par ses intuitions avec confiance que souvent, on parvient aux meilleurs résultats."

"COMME la rose croît à travers les épines, le véritable amour grandit toujours parmi les difficultés."

"LA paresse est la mère de tous les vices; et l'inquiétude, elle, la mère de tous les soucis."

"L'AMOUR, c'est ce qui nivelise toutes les inégalités."

"S'IL est possible d'enseigner l'art de la parole à autrui, le silence, lui, qui peut l'enseigner?"

"QUI veut gagner doit être disposé à risquer beaucoup."

"LORSQU'ON apprécie une belle qualité chez quelqu'un, il faut toujours le lui dire."

"UN menteur, c'est un héros devant les hommes, et un lâche devant Dieu."

"ON a à se repentir du péché, mais jamais du bonheur."

"UN chien enragé et une femme grincheuse: voilà les meilleurs gardiens de la maison."

"ON passe parfois toute sa vie à adorer ce qui nous manque sans jamais vraiment aimer ce que l'on possède."

"LE seul fait de connaître le récit de la vie des autres: voilà qui nous délivre automatiquement de tous nos tourments."

"ON ne peut faire autrement que sentir mauvais lorsqu'on prend plaisir à s'amuser dans les détritus de l'existence."

"IL faut être lent à choisir, mais parfois, l'être encore plus à changer."

"IL faut toujours préparer ses comptes avant que ne vienne le jour des comptes."

"L'AVIDITÉ de bonheur qu'il y a chez l'être humain est la preuve évidente que le bonheur est inné en nous et que chacun de nous est en mesure de le découvrir, puis de le saisir fermement."

"LORSQU'ON s'aperçoit qu'un travail est difficile, il n'y a plus qu'une seule chose à faire: travailler plus fort."

"PERSONNE n'a jamais eu à se repentir du fait de s'être montré patient et sobre."

"AMINCIR sa taille, c'est bien; mais élargir son coeur, voilà qui est mieux."

"LA pauvreté, c'est l'aveuglement humain face à la générosité illimitée de Dieu."

"RICHE ou pauvre, il est toujours bon dans notre monde d'avoir de l'argent."

"L'ILLUSION du bonheur parfait: voilà qui rend les gens bien malheureux."

"SOUFFRIR, c'est encore une autre façon de vaincre l'ennui."

"UNE pomme pourrie corrompt toujours ses voisines."

"IL faut toujours bien penser avant de parler, mais ne pas toujours dire ce que l'on pense vraiment."

"TOUTE critique n'a pour seul objectif que de rabaisser les êtres importants afin de prendre leur place."

"LE mot 'essayer' sous-entend toujours le doute."

"LA générosité n'est, bien souvent, qu'une transaction d'affaires soigneusement camouflée."

"DANS le fond, il faut être un peu égoïste pour être généreux."

"LE travail, c'est le meilleur antidote au déséquilibre."

"QUI parle, sème; qui écoute, récolte."

"LA parole, c'est le vêtement de la pensée."

"C'EST lorsqu'on accomplit nos plus grands désirs que l'on connaît nos plus grandes peines."

"UNE personne peut bien avoir les mains blanches; n'empêche qu'elle n'est rien si ses mains sont vides."

"QUAND la langue n'est pas claire, le coeur ne saurait être propre."

"LA vérité d'un handicapé est préférable à supporter au mensonge d'un champion coureur."

"QUI vit dans la réalité est rarement pauvre; mais celui qui vit dans son imagination est souvent dans l'indigence."

"AVEZ-vous remarqué comme les paresseux ont toujours l'air de sous-entendre que tous les riches sont des voleurs?"

"UNE bonne conscience et un bon lit vont toujours de pair."

"AUTANT la mort est égoïste, autant la vie est généreuse: l'une exige constamment et vole; l'autre donne sans cesse et disperse."

"LA passion ébranle toujours la raison."

"SEULS les êtres qui ne sont pas sûrs d'eux peuvent craindre de perdre leur dignité."

"QUAND la conscience s'endort, alors la vie s'éteint à petit feu."

"SEUL l'être solitaire qui se complaît dans l'intimité de Dieu peut rendre sa solitude supportable."

"LE bonheur, comme le succès, n'appartiennent qu'à ceux qui sont courageux et tenaces."

"UNE société civilisée, c'est une société dans laquelle les individus ne se troublent plus avec les catastrophes."

"LA maîtrise de soi: voilà la base d'un coeur noble."

"TOUT être qui fait bien ce qu'il doit faire n'a pas à se considérer comme étant inférieur à autrui."

"L'INDÉCISION naît toujours de la peur de faire des erreurs."

"DANS notre monde, il n'y a plus que trois façons pour devenir quelqu'un d'important: faire de la politique, abandonner sa famille, ou tuer sa femme."

"SEULS les êtres faibles aiment à s'abandonner dans les bras du hasard."

"SEULE la souffrance est, de nos jours, une réelle bénédiction pour l'humanité."

"ON n'allège jamais son fardeau pour plus tard quand on l'allège maintenant."

"CE ne sont que les faibles et les paresseux qui sont des cibles de choix pour la critique."

"MIEUX vaut un démenti civilisé qu'un mensonge obstiné."

"PLUS l'esprit est léger, plus la vie est lourde à supporter."

"ON s'empresse toujours à qualifier de traître celui qui ne pense pas comme soi."

"ON peut truquer une vertu, mais jamais un vice."

"ON pense trop souvent à ce qu'on veut faire plutôt que de penser à ce qu'on devrait faire."

"ON veut à tout prix enrayer la violence chez les jeunes, mais on n'en continue pas moins de faire des armes et d'enseigner la guerre dans l'infanterie."

"C'EST au sein de l'adversité et des difficultés, bien plus que dans la vie facile, que se développe l'homme."

"QUAND on n'a pas le courage de suivre sa pensée, on n'a alors plus qu'une seule chose à faire: suivre la pensée de l'individu qui a eu la détermination de suivre la sienne."

"VOICI le meilleur moyen de détruire un homme: lui donner trop de sécurité."

"LA meilleure des paix s'édifie toujours dans le silence."

"LES habitudes, bonnes ou mauvaises, ne proviennent jamais de l'extérieur mais toujours de l'intérieur."

"QUICONQUE laisse quelqu'un d'autre penser à sa place ne tarde pas à devenir inexistant."

"LA patience, c'est la souffrance de ceux qui ont du temps en abondance en réserve."

"SOUVENT, le refuge dans la réflexion ne sert qu'à excuser le refus d'agir."

"ATTENTION à ton imagination! Car tout ce que l'être humain imagine, il peut aussi le réaliser."

"QUI abuse de la confiance détruit tout."

"AUJOURD'HUI, il n'y a que trois moyens afin d'amener le gouvernement à s'occuper vraiment de soi: refuser de travailler, abandonner sa famille, ou devenir un criminel."

"CE qui constitue un acte criminel au sein du monde interlope devient une transaction commerciale dans le monde des affaires."

"CE qu'est un parjure devant le juge devient de la politique pour le député."

"À chaque fois qu'on tente d'imiter quelqu'un d'autre, on se renie soi-même."

"L'AMITIÉ meurt toujours en même temps que la perte de la confiance."

"LE passé n'a servi strictement à rien si l'avenir demeure inchangé."

"QUAND on se sait dans le vrai on n'a jamais peur de se retrouver minoritaire."

"LA ligne directe et droite est toujours le chemin le plus court entre deux points."

"IL faut toujours bien choisir ses pensées! Car chacune d'elles, quelle qu'elle soit, n'est pas autre chose qu'une semence qui est plantée dans le sol fécond de la vie."

"VOICI le plus grand pouvoir de l'homme: changer sa façon de penser."

"LES blessures d'un ennemi sont toujours plus salutaires que les flatteries d'un ami."

"QUE ses rêves soient vagues ou précis, tout être humain a le devoir de nourrir ses espérances."

"QUAND, même le sens du travail n'est plus respecté, c'est là un signe irréfutable que l'homme est proche de sa fin."

"PLUS un homme s'efforce de se libérer de ses semblables, plus il devient esclave de lui-même."

"LA puissance ne manque jamais; c'est seulement la volonté qui fait défaut."

"QUI n'a jamais appris à recevoir d'ordres ne pourra jamais en donner."

"PLUS la vérité se dessine nettement à l'horizon, plus les méchants deviennent aveuglés par ses rayons."

"SOUVENT, le plus beau silence n'est pas autre chose qu'une forme de mépris dissimulé."

"VOICI la meilleure façon d'assassiner son propre enfant: lui enseigner constamment que le monde va le prendre dans ses bras, le dorloter et l'embrasser à chaque fois qu'il se tournera d'un côté ou de l'autre."

"DANS toute tentative digne, même l'échec est glorieux."

"IL ne faut pas seulement juger l'arbre à ses fruits, il faut aussi juger le jardinier."

"S'APPUYER sur le gouvernement: voilà le propre des êtres irresponsables."

"TOUT être juste qui ne dérange pas est aussi un injuste."

"ON dit qu'une bête est féroce, mais qu'un homme est sportif."

"IL ne faut jamais aller pleurer sur l'épaule d'un ami lorsqu'on se décourage, car c'est pleurer deux fois."

"CE n'est que grâce aux difficultés que nous pouvons juger de la vraie trempe d'un être."

"LE premier mensonge, c'est le carrefour d'une vie méchante."

"LES êtres jaloux ne se méfient pas tant des autres qu'ils se défient d'eux-mêmes."

"LA foi engendre toujours la volonté."

"LA plupart du temps, les vices que certaines gens n'ont pas sont ceux qu'elles ne sont pas en mesure de se payer."

"MIEUX vaut subir la désapprobation d'un sage que le sourire d'un insensé."

"UNE poignée de bon sens vaut mieux qu'un baril de connaissance."

"ÊTRE civilisé en ce monde, c'est être enfin parvenu à maîtriser parfaitement l'art qui consiste à dire un mensonge sans même rougir ni risquer de se faire démasquer publiquement."

"C'EST toujours dans l'importance des autres qu'on trouve son importance."

"L'IMAGINATION ne tarde jamais à devenir la plus cruelle maîtresse de l'être solitaire et oisif."

"LA raison d'être d'un cadeau n'est pas de satisfaire un besoin, mais de plaire."

"PERSONNE ne peut résister à la chaleur humaine dégagée par un simple sourire."

"L'ORGUEIL ne se trouve jamais sur le sentier de l'excellence."

"C'EST la nature qui nous enseigne à parler, et c'est la sagesse qui nous enseigne le silence."

"CELUI qui se purifie fortifie toujours son coeur."

"UNE visite ennuyeuse est comme un bon gâteau: on a toujours hâte de la voir disparaître."

"QUI n'aime que soi-même doit toujours se craindre."

"NUL ne peut témoigner de la foi qu'il n'a pas."

"LE bonheur est toujours là où il y a acceptation et accomplissement du devoir."

"TOUT être qui a envie de se moquer d'autrui doit être lui-même le dindon de la farce, ou alors qu'il se taise."

"QUI explore trop son passé risque de le perdre."

"IL n'y a rien comme l'hiver et les catastrophes pour unir les hommes."

"CACHER une partie de la vérité est aussi une forme de mensonge."

"QUI forme et discipline son esprit s'améliore toujours."

"IL faut être parfois inconscient, et toujours insensible, pour être vraiment heureux."

"ON ne lit pas dans le coeur des êtres avec son intelligence, mais avec son intuition."

"BÉNIS soient le paresseux et le sot: car sans eux, tout le système économique actuel de notre humanité risquerait de s'effondrer en moins de vingt-quatre heures."

"L'HOMME vraiment humble montre sa justice dans la discipline de soi et manifeste sa compréhension dans le pardon envers autrui."

"PLUS on s'approche du succès, plus il devient difficile à saisir."

"CELUI qui croit en autrui ne peut faire autrement que de l'influencer."

"LE sage regarde toujours vers le soleil et la lumière."

"PLUS un homme a d'illusions, plus il souffre et moins il dort."

"LE mal que l'on subit n'est, bien souvent, que la rançon du mal qu'on a fait subir à autrui."

"IL faut toujours rayonner pour être en mesure d'attirer."

"IL faut toujours se méfier des ratés: car justement à cause de leur médiocrité et leur infériorité, ils cherchent toujours à faire perdre le temps des gens qui réussissent dans le seul but de les rabaisser."

"CELUI qui n'a pas le courage de soulever une pierre ne peut espérer trouver de diamants."

"CELUI qui accepte un conseil mérite toujours d'être secouru."

"LES gens médiocres soupçonnent toujours un quelconque pouvoir magique chez l'être qui, à cause de son dur labeur, a accompli un chef-d'oeuvre."

"ON n'a jamais besoin de recevoir de l'aide de personne quand on regarde attentivement au bout de ses deux bras."

"LE riche, comme le pauvre, meurt; et après leur mort, les deux sont alors sur un même pied d'égalité: ils ne savent plus où loger."

"LE sot passe sa vie à comparer ses peines et ses récompenses; tandis que le sage, lui, passe la sienne à comparer le temps à l'éternité."

"QUI lance de la boue doit obligatoirement avoir les deux pieds dedans."

"N'EST jamais remplie d'argent la bourse qui est pleine des sueurs d'autrui."

"UN homme accepterait bien de mourir pour ses idées, mais rarement pour sa foi."

"ON n'est vraiment heureux que lorsqu'on peut enfin se passer des autres et des choses."

"L'ORGUEIL n'est pas autre chose qu'une mauvaise herbe qui pousse sur du fumier."

"LE vrai contentement vient toujours du coeur, jamais de l'extérieur."

"ON n'atteint la réussite qu'en rejetant tout ce qui est vain et ce qui distrait."

"QUAND les hommes sont heureux, ils n'ont pas envie de se battre avec leurs semblables."

"LA colère commence dans la folie et se termine toujours dans le regret."

"QUI prend la main d'un enfant hérite du coeur de sa mère."

"LA fin du courroux marque le commencement de la repentance."

"UN homme audacieux a toujours mille raisons d'espérer."

"Un homme ne peut espérer devenir un saint qu'en devenant un peu bête... ou un peu fou."

"PARLER, c'est la meilleure ventillation pour l'esprit."

"UN silence est moins néfaste qu'une mauvaise réponse."

"CE n'est que lorsqu'on nettoie son esprit des pensées mauvaises et négatives qui s'y trouvent qu'on laisse alors de la place pour des pensées meilleures."

"LA confiance, en soi et envers les autres, est toujours contagieuse."

"UN homme cruel, c'est un ennemi même de Dieu."

"PERSONNE ne se sent disposé à marcher avec celui qui n'a aucune confiance en soi."

"L'AMOUR aussi doit être équilibré: car qui aime trop hait toujours beaucoup."

"LE sage, c'est celui qui retient sa langue, et qui parle deux fois moins qu'il ne pense."

"UN pauvre qui espère est un millionnaire imaginaire: mais un pauvre qui travaille n'a plus besoin d'espérer."

"L'INQUIÉTUDE, ce n'est pas autre chose qu'une forme de paresse."

"LÀ où il y a de la gaieté, il y a toujours de l'harmonie."

"AVANT le mariage, on se caresse; le jour des noces, on se fait mille promesses; et le lendemain, on se quitte dans la détresse."

"ON ne doit toujours s'attacher qu'aux seuls êtres et choses dont on pourrait vraiment se passer sans en souffrir."

"UN grand coeur n'a jamais de place pour la calomnie."

"UN homme à la réputation noble est un être invulnérable."

"L'HUMOUR, comme l'espérance, voilà qui donne un sens à la vie."

"À part la respiration, toute autre occupation semble bien vaine."

"N'EST jamais seul celui qui est sans cesse en compagnie de pensées nobles."

"DIEU nous aime, non pour ce que nous sommes, mais pour ce qu'IL est."

"QUI trouve du plaisir dans son travail est sans cesse heureux."

"LES grands événements sont toujours créés par des êtres au grand coeur."

"LA vie est beaucoup trop courte pour perdre son temps à entretenir la moindre rancune."

"LE mensonge dérive souvent de la distraction; donc, on peut dire que la distraction est une forme de mensonge."

"LES égoïstes acceptent toujours mal le présent qui leur est fait."

"UN homme bon et honnête, c'est le couronnement même de l'oeuvre de Dieu."

"LÀ où il y a de la sagesse, il y a du bonheur."

"TOUT n'est qu'incertitude en ce monde, à part la mort elle-même."

"IL faut toujours chercher à aimer ce que l'on doit faire avant de chercher à faire ce qu'on aime."

"L'INTELLIGENCE a la jeunesse; l'intuition a de l'expérience."

"MIEUX vaut rire avec le sot que s'ennuyer avec le sage."

"RIEN ne sert de courir, car tous les chemins de la vie mènent au cimetière."

"AUCUN grand amour n'est possible sans la souffrance."

"SEULES les choses attendues patiemment sont longtemps retenues."

"VAUT mieux avoir assez que désirer trop."

"LES bons maris font toujours les bonnes épouses."

"QUI ne retient pas sa langue n'apprend jamais à bien parler."

"C'EST l'attention d'un homme qui remue le plus le coeur d'une femme."

"LE rire, c'est le meilleur antidote à l'amertume."

"QUI a confiance en autrui ne manque pas de conseils intéressants."

"TOUT objectif ayant une certaine valeur mérite des efforts de notre part afin de l'atteindre."

"ON ne peut pas être heureux sans être généreux; et on ne peut pas être généreux sans être riche."

"QUAND on ne s'attache plus qu'aux choses, c'est alors que les amarres de notre coeur sont rompues."

"IL faut toujours savoir sacrifier un petit bonheur pour pouvoir jouir d'un plus grand."

"LA chance, c'est le seul espoir des paresseux."

"CE n'est qu'au fond de notre coeur que se trouve la véritable honnêteté."

"TOUT être mérite d'être respecté pour ce qu'il est, non pour ce qu'il a."

"PLUS on creuse dans le passé, plus on déterre des raisons de se haïr."

"LA guerre, c'est ce qui sert de prétexte à l'égoïsme humain."

"QUAND un homme est déterminé à atteindre son but, les obstacles n'ont plus qu'une seule chose à faire: s'écarter."

"LÀ où il y a le désordre, il y a la désintégration."

"ON se bat uniquement parce qu'on a peur de soi."

"QUAND l'homme cesse de chercher la vérité, il en meurt."

"VOICI le plus grand pouvoir que possède l'être humain: Choisir."

"TOUT être devient tôt ou tard ce qu'il pense à longueur de journée."

"VOICI le meilleur moyen de tuer un homme: prendre soin de lui."

"C'EST lorsque tout le monde parle en même temps que le silence est le plus dur à supporter."

"C'EST avec la découverte de soi-même que vient la foi."

"TOUTE foi qui n'est pas suivie de l'action ne mène absolument à rien."

"IL suffit de refuser de voir le monde dans sa réalité pour le trouver beau."

"IL n'y a que les morts qui aient raison; les vivants, eux, on ne les croient presque jamais."

"LA vie n'est pas un jeu, c'est un champ de bataille."

"LA véritable grandeur d'un être consiste à bien s'acquitter du lot qui lui échoit."

"MIEUX vaut se troubler pour le mal que de l'être par lui."

"UNE seule goutte de bon sens produit toujours un déluge de mots."

"NUL ne doit dire qu'il travaille pour gagner sa vie; car la vie est gratuite, tout comme le soleil, l'air et l'eau."

"SOUVENT, ce que nous nommons 'vérité' n'est que notre façon limitée et égoïste de voir les choses."

"UN homme vrai, digne de ce titre, se sent toujours fier des responsabilités que Dieu lui a confiées."

"UN chef n'a pas que le droit de gouverner; il en a le devoir."

"IL n'a jamais été prouvé que la pauvreté soit une vertu."

"POUR attirer les bonnes choses, il faut être disposé à libérer les mauvaises choses afin de faire de la place aux nouvelles."

"GARDEZ toujours clairement présent à l'esprit que le succès n'est rien d'autre que l'échec qui s'efforce de naître sous une forme plus grandiose."

"QUI n'a jamais fait d'erreurs n'a jamais fait de découvertes."

"HEUREUSEMENT que Dieu ne nous prend pas au mot en exauçant toutes nos prières; autrement, c'est la somme de nos soucis qui augmenterait."

"CE qu'on appelle 'migraine' pour la femme se traduit par 'vacance' chez l'homme."

"LE succès ne vient toujours qu'à ceux qui l'attendaient."

"ÊTRE génial, c'est imiter les autres sans qu'ils ne s'en rendent compte."

"VOICI le meilleur moyen de vaincre un ennemi: l'écouter parler."

"C'EST en forçant un homme à écrire qu'on parvient enfin à forcer les murailles de son coeur."

"IL suffit de cerner un souci par écrit pour le voir très vite disparaître en même temps que les fantômes de son imagination."

"QUICONQUE croit en l'éternité devrait vivre comme un saint, ou alors il ne croit absolument rien."

"L'ÉNONCIATION de la vérité n'a pas pour but de rénover nos idées, mais plutôt de transformer notre vie."

"IL fait toujours sombre autour de celui qui a les yeux clos."

"ON abandonne toujours sa liberté à celui à qui l'on confie un secret."

"UN grand homme ne s'occupe jamais des choses faciles."

"ON ne peut entrer dans une écurie sans en traîner l'odeur avec soi."

"LES enfants sont toujours comme ils ont été faits."

"L'INSENSÉ, c'est celui qui ouvre toujours sa bouche avant ses yeux."

"UN fils sage rend son père heureux; et un fils qui est sot assure le paradis à sa mère."

"UN vieil ami, c'est encore le meilleur des miroirs."

"IL souffre de malnutrition celui qui ne s'alimente que des erreurs d'autrui."

"SEULS les faibles et les ratés prient pour les catastrophes."

"L'INDIFFÉRENCE, c'est la demi-mesure entre la haine et la jalousie."

"QUI retient sa langue n'a jamais à se repentir."

"PENSER, c'est un peu sentir le monde entier."

"L'ARGENT est comme l'amour: ce n'est que lorsqu'il est absent qu'on apprend vraiment à le connaître."

"LÀ où la méfiance s'installe, l'amour déménage."

"LA joie, c'est une mélodie perpétuelle sans mots."

"QUI cherche uniquement à plaire aux autres doit s'attendre à vivre dans l'échec, tout comme les misérables."

"L'AMOUR peut tout accomplir quand on lui fait confiance."

"UN bavard est toujours plus dangereux qu'un menteur."

"QUI se plaît à dire ce qui lui plaît doit entendre ce qui lui déplaît."

"LES plus grandes espérances naissent toujours d'un doute."

"UN flot de paroles n'est jamais une preuve de sagesse."

"NOTRE seul bien véritable, c'est notre vie."

"TOUT sentiment d'hostilité, de rancoeur et désir de vengeance s'évanouissent vite là où l'amour intervient."

"LES hommes construisent les maisons, et les femmes, elles, les foyers."

"QUI veut se mériter une bonne réputation ne doit pas être surpris dans son lit par le soleil."

"LE sage est toujours du côté de Dieu."

"CE n'est qu'en comprenant l'objet de ses convoitises qu'on parvient à se détacher de ses peines."

"L'ARGENT n'a vraiment qu'un seul symbole: celui de l'esclavage des peuples."

"UNE promesse doit toujours être donnée avec précaution et conservée avec grand soin."

"LA perte de la réputation: voilà le plus grand désastre humain."

"LA vérité n'est pas énoncée pour être crue, mais pour être vécue."

"QUI aime ses enfants souvent les corrige."

"IL faut toujours devenir un peu fou afin de pouvoir réaliser un chef-d'oeuvre."

"NOTRE monde est un drôle de paradoxe: la plupart des gens qui parlent n'ont rien à dire, et parmi ceux qui auraient quelque chose à dire, la plupart ne parlent pas."

"IL ne faut jamais se fier à quiconque a l'air d'un saint."

"QUICONQUE veut rénover le monde doit d'abord le connaître."

"QUI commence beaucoup de choses n'en finit jamais une seule."

"QUI n'omet aucune opportunité pour faire le bien ne trouve aucune opportunité pour faire le mal."

"LA réussite est toujours un résultat planifié à l'avance."

"TOUT ce que nous voyons chez autrui dépend surtout de ce que nous cherchons."

"ON prie parfois bien inutilement pour la justice, étant donné qu'elle ne nous sera donnée que le jour où nous la mériterons vraiment."

"QUI renonce à tout ce qui est mauvais est vraiment libre."

"SE développer signifie au fond: peiner, changer."

"QUI n'a plus de problèmes à résoudre doit se retirer du grand jeu de la vie."

"CE n'est qu'au jour de sa mort que l'homme accepte vraiment de changer."

"ON se trompe parfois sur la légèreté des mots, mais jamais sur le poids des silences."

"QU'UN homme en soit conscient ou non, il vit toujours aujourd'hui ses choix d'hier."

"IL faut d'abord ramper avant de marcher, et apprendre à marcher avant de courir."

"LES héros sont les enfants de la bravoure, non de la lâcheté."

"CE que nous ne possédons pas ne nous cause jamais de soucis."

"TOUTE vraie prospérité est le résultat d'une croyance."

"QUI se plait à lancer des flèches cinglantes ne fait qu'entretenir ses complexes d'infériorité."

"OBSERVEZ un homme qui a échoué dans la conduite de sa vie familiale et vous comprendrez alors que le foyer est vraiment le plus grand centre de formation de l'homme."

"TOUT grand homme destiné à devenir important se doit absolument de cultiver l'amour."

"SI Dieu a jugé bon de procurer du travail à l'homme, c'est pour nous permettre de mieux apprécier la vie."

"LA mort, c'est la douce vengeance de l'animal sur l'homme."

"LE travail seul, même acharné, n'apporte pas la réussite; il faut aussi la foi, beaucoup de foi."

"IL faut toujours refermer la porte sur les événements d'hier, et ne plus jamais la rouvrir."

"QUI n'exige rien n'est jamais déçu."

"VOICI la plus grande tragédie humaine: se retrouver l'être que parfois, l'on est devenu."

"LA motivation, bien plus que la punition, voilà le moyen le plus efficace pour transformer les gens."

"QUI se prend trop au sérieux commet toujours une grave erreur."

"UN mauvais mari ne peut être un homme bon."

"UNE femme n'est jamais aussi aimable qu'en autant qu'elle est utile."

"UNE peine partagée est toujours plus facile à porter."

"NE pas briser vaut mieux que réparer."

"QUI se détache de tout finit par prendre possession de tout."

"SI les hommes aiment à se vautrer dans le mensonge, c'est parce qu'ils ont peur que la vérité les blanchisse, et les pulvérise ensuite."

"UNE bonne espérance est meilleure qu'une mauvaise possession."

"UN bon livre, c'est encore le meilleur des compagnons."

"QUICONQUE poursuit un objectif noble n'a pas à céder ni à faire de compromis."

"UN grand homme est toujours disposé à faire les choses qui sont difficiles."

"LE seul travail qu'aime à faire le paresseux, c'est de se déterrer des excuses."

"UNE vie juste est toujours un gage de vie heureuse."

"TOUT être en possession de la vérité doit se libérer de tout sentiment de partialité."

"RESSASSER ses erreurs ébranle la confiance en soi et entraîne toujours des échecs additionnels."

"CE n'est qu'en se soumettant à l'essence de sa propre vie qu'on découvre enfin la vraie liberté."

"LA liberté sans la bonté n'est qu'une autre définition donnée à l'esclavage."

"SEULS les êtres pauvres d'esprit et de coeur sont vraiment pauvres en ce monde."

"ON dit que le loup est méchant parce qu'il dévore le mouton; alors, dans ces conditions, que dire de l'homme qui dévore son prochain même?"

"CE n'est qu'en se donnant au monde qu'on parvient enfin à se libérer de soi."

"ON ne peut faire autrement qu'avoir la conscience en paix quand on entend les enfants se lamenter à propos des choses dont ils ont été privés lorsqu'ils étaient plus jeunes."

"C'EST toujours le manque d'humilité qui est à la base d'un échec."

"QUI abandonne ses rêves et vagabonde au hasard cesse vite d'évoluer puis, insatisfait, se retrouve finalement dans l'indigence totale."

"IL peut toujours espérer recevoir le meilleur celui qui s'attend au pire."

"LA contradiction éveille l'attention, non la passion."

"DANS presque tous les cas, les hommes n'aiment à mieux se connaître que pour mieux s'exploiter."

"ON se façonne toujours un dieu à sa taille."

"PLUS les mots sont rudes, plus sensibles sont les oreilles."

"CELUI qui se venge de son ennemi lui est égal; mais celui qui pardonne à son ennemi lui est toujours supérieur."

"S'IL est bon parfois de s'étendre sur ses faiblesses, il est encore mieux de s'orienter sur ses possibilités afin de s'améliorer sans cesse."

"QUI n'a pas de but à atteindre erre au hasard du temps et n'accomplit jamais rien de valable dans la vie."

"QUI est courageux et déterminé est toujours chanceux."

"L'ARGENT ne mène pas l'esprit des hommes, mais il fausse leur coeur."

"ON ne devient pas un saint du fait qu'on nous loue, ni un démon parce qu'on nous blâme; nous ne sommes toujours que ce que nous sommes, rien de plus, rien de moins."

"TOUTES choses sont belles: des millions d'êtres se noient mais la mer est toujours belle à admirer."

"LES plus grandes peines sont toujours muettes."

"LA bonne administration vaut toujours mieux que les bons revenus."

"ON choisit un bon conjoint bien plus avec ses oreilles qu'avec ses yeux."

"ASSURE-toi d'être sans cesse prudent dans tes prières, car il se pourrait qu'un jour, tu sois exaucé."

"DANS la vie, il n'y a rien de plus mortel que de se prendre vraiment au sérieux."

"IL faut croire que celui qui ne dit jamais rien ne pense à rien de vraiment intéressant."

"IL y a toujours une grande différence entre un besoin et un désir."

"L'HOMME vraiment important est toujours facile à approcher et sa porte est toujours ouverte aux démunis."

"CE n'est que lorsqu'un homme meurt qu'on commence finalement à le connaître, tel qu'il était."

"LA mort, c'est le seul moyen qu'ait trouvé la vie pour excuser les bêtises humaines."

"LA clé du bonheur dans le mariage, ce n'est pas de faire des choses l'un pour l'autre, mais de faire des choses l'un avec l'autre."

"C'EST lorsqu'il trempe dans l'humilité que le bon sens brille le plus."

"ON admire une femme à cause de sa vertu; mais on l'adore à cause de sa modestie."

"QUI tient à se faire pardonner doit d'abord se repentir avant de donner un bouquet de fleurs."

"CELUI qui veut alléger son fardeau doit apprendre à se moquer des banalités de l'existence."

"LE silence: voilà le meilleur moyen pour faire la paix."

"IL n'y a que le paresseux et le méchant qui sentent sans cesse le besoin de se justifier."

"QUI se complaît dans les livres n'est jamais seul."

"DEVANT l'homme qui sait où il va les obstacles n'on plus qu'une seule chose à faire: fuir."

"LES résultats ne commencent vraiment à venir à nous que le jour où nous allons au-devant d'eux."

"UN présent bien présenté est un double présent."

"UNE petite négligence engendre toujours un grand tort."

"LE fait de croire que tout le monde se retrouvera un jour au ciel ne résoudra absolument rien aux problèmes de l'humanité: car, à voir les gens agir, il n'y aurait guère davantage à aller vivre là-haut."

"VOICI la plus grande récompense en ce monde: s'entendre louanger par la bouche des autres."

"SEULS les êtres qui ne posent jamais de questions peuvent espérer goûter un bonheur de tous les instants."

"ON ne parvient à être vraiment heureux que lorsqu'on s'oublie."

"CE n'est qu'en devenant de plus en plus généreux qu'il nous est possible de perfectionner nos aspirations les plus profondes."

"LA voie menant au succès est toujours parsemée d'échecs."

"LA richesse sert parfois celui qui la possède; mais dans tous les cas, elle l'étouffe."

"LES promesses font les dettes; et les dettes, les promesses."

"LA paix commence toujours là où l'égoïsme finit."

"QUAND une personne dit qu'elle a assez d'argent, c'est qu'elle en a déjà trop."

"L'ARGENT n'a vraiment qu'une seule utilité en ce monde: séparer les riches des pauvres."

"AUJOURD'HUI n'est que l'élève d'hier et le maître de demain."

"LE courage, c'est de faire ce qui est juste, même dans la critique et dans l'adversité."

"AUCUN homme véritable ne naît comme tel: il se fait toujours lui-même."

"UNE journée, c'est le reflet exact d'une vie."

"ON n'est vraiment heureux qu'avec ce qu'on désire de tout son coeur."

"L'AMOUR est une force prodigieuse dont on peut se servir à l'infini; car il fait toujours pour nous ce qui est humainement irréalisable."

"UN silence, c'est, bien souvent, la meilleure des réponses."

"UN grand parleur est toujours un grand menteur."

"LE faible aime toujours s'alimenter avec les résidus du courage des forts."

"BLESSER par indifférence fait toujours plus mal que tuer par vengeance."

"LE véritable ami, c'est celui qui nous aide, non celui qui nous prend en pitié."

"C'EST folie de prétendre qu'un homme est bon ou mauvais; l'homme n'est que ce qu'il est vraiment: soit bon et mauvais."

"MIEUX vaut servir dans la dignité que régner dans la honte."

"IL n'y a pas pire voleur de temps qu'un mauvais livre."

"UN homme qui ne travaille pas ressemble à une charrue qui ne laboure plus: il rouille et pourrit vite."

"ON se méfie toujours de celui qui nous dit la vérité, mais on ne se défie jamais du menteur."

"IL n'a jamais été ordonné à l'homme de conquérir le monde entier et l'univers même, mais de gagner tout simplement son pain à la sueur de son front."

"C'EST le comportement du père de famille, bien plus que celui du criminel, qui influence la société."

"LIBRE à vous de le croire ou non: la vie est avec vous et non contre vous."

"L'INTELLIGENCE n'est pas le fait de poser simplement des questions; mais ce qu'il faut, c'est de poser les bonnes questions."

"SI les hommes s'échangeaient autant d'amitié qu'ils s'échangent des idées, la terre deviendrait très vite un paradis de délices."

"L'INDIFFÉRENCE, c'est la forme la plus raffinée de la méchanceté."

"QUI n'a peur de rien est toujours effrayé de soi-même."

"LA plupart des gens sont incapables de saisir les grandes beautés de l'existence du seul fait qu'ils ne se décident pas à lâcher les petites choses insignifiantes qu'ils tiennent fermement entre leurs deux mains."

"IL faut toujours beaucoup de courage pour être libre."

"L'HONNÊTETÉ dans les petites choses n'est jamais une petite chose."

"IL s'expose à être examiné au microscope celui qui s'abandonne à ses passions."

"PLUS un arbre est grand, plus il attrappe de vent."

"IL ne croit pas celui qui ne vit pas en harmonie avec ses croyances."

"UN farceur ne s'attire pas beaucoup d'ennemis, mais il éloigne beaucoup d'amis."

"LE monde entier semble du côté de l'être qui sait où il va."

"LES grandes vérités sont toujours simples; elles sautent aux yeux. Mais les gens ordinaires, eux, ne les voient pas et cherchent sans cesse des voies plus compliquées."

"LE silence et la sainteté sont toujours proches l'un de l'autre."

"LE silence, c'est le meilleur repère pour le sage et l'ignorant."

"IL n'y a aucune raison d'envier autrui; car ce qu'un être peut faire, beaucoup d'autres peuvent aussi le faire."

"UN homme qui ne fait rien n'a jamais le temps de faire quelque chose."

"AUCUNE situation n'est désespérée: il n'y a que les êtres incrédules qui désespèrent."

"TOUT homme est vraiment père tant et aussi longtemps qu'il y a des enfants qui lui tendent les bras."

"C'EST en s'acquittant fidèlement et honorablement de ses responsabilités que l'homme évolue et s'accomplit."

"IL ne faut jamais faire confiance en quelqu'un qui nous dit que 'toute vérité n'est pas bonne à dire'."

"TROP de gens en ce monde ont la détestable mannie de vouloir régler leurs problèmes en partant du principe que la vérité - leur vérité - a fait son entrée dans le monde en même temps qu'eux."

"MIEUX vaut garder la paix que faire la paix."

"IL est vrai que si vous apprenez à connaître Dieu votre vie ne se trouvera pas plus facile d'autant; cependant, une chose est assurée, elle deviendra meilleure."

"CE ne sont pas les décisions qui font grandir les êtres, mais les grands hommes qui font les décisions."

"QUEL grand paradoxe que la vie: on la passe entière à regarder mourir les autres alors qu'on naît pour vivre."

"AU fond, la mort n'est pas aussi terrible qu'on le prétend: c'est la vie qui fait le plus pleurer, non la mort."

"ENTRER dans le silence est aussi une autre façon de s'exprimer."

"LA plupart du temps, on se prépare et conditionne afin de recevoir et subir des échecs alors qu'on ne songe même pas que les récoltes de succès ne sont réservées qu'à ceux qui croient."

"SOUVENT, ce que nous nommons plaisir n'est que le soulagement égoïste de nos plus bas instincts."

"QUAND le choc des idées fait défaut, même les meilleures idées meurent."

"QUICONQUE veut bâtir sa vie, tout comme une maison, doit d'abord s'assurer d'avoir en main un plan complet et sans défauts."

"TOUTE lâcheté commence d'abord vis-à-vis de soi-même."

"IL n'y a que le chagrin du coeur qui fasse vraiment pleurer."

"LE plus long des voyages commence toujours par un premier pas."

"BIEN souvent, ce n'est que la peur de la mort qui nous fait apprécier la vie."

"LA pitié n'est, bien souvent, qu'un mélange de lâcheté et d'orgueil."

"LA compréhension: voilà qui apporte toujours la santé, la richesse et le bonheur."

"AVANT de s'ériger en auteur, il faut toujours être un bon auditeur."

"AUCUN homme courageux ne doit craindre de paraître fou aux yeux de ses semblables."

"C'EST la bonne épouse qui est la plus grande source de motivation d'un grand homme."

"L'ÉGOISME mène toujours aux mauvaises actions."

"L'ÊTRE généreux acquiert toujours des traits de caractère qui le mènent aux succès."

"LE bonheur est comme la rose: il n'est vraiment complet qu'à travers les épines de la vie."

"LE bonheur, c'est à la fois un mélange d'inconscience, de pardon et de foi, beaucoup de foi."

"LE silence, c'est souvent la meilleure justification qui soit."

"PARFOIS, on est disposé à tout changer, sauf l'idée erronnée qu'on se fait de soi-même."

"QUI s'ennuie avec soi-même ne s'intéresse pas aux autres."

"POUR être ouvert aux idées nouvelles, il faut toujours rester jeune."

"QUI craint le ridicule n'est pas encore sage."

"L'ÉGOISTE ne peut jamais donner à autrui ce qu'il n'a pas."

"LES femmes ont plus de force par leur regard que les hommes avec leurs lois; et elles ont plus de pouvoir avec leurs larmes que les hommes en ont avec tous leurs arguments réunis."

"UN bon cheval n'a jamais une mauvaise couleur."

"DÉSIRER la sagesse, c'est bien; mais cultiver la bonté, voilà qui est mieux."

"LE bonheur est comme l'air: il suffit de le respirer à pleins poumons pour finalement constater son abondance à nos côtés."

"C'EST en passant par le four des difficultés où brûlent les impuretés qu'on parvient enfin au raffinement de soi."

"UNE imagination fertile, c'est la carte routière menant au succès."

"QUI apprend à ses frais retient toujours plus longtemps."

"OUBLIER une faute: voilà la plus douce des vengeances."

"L'INDÉPENDANCE est un vain mot: puisque l'être qui se dit vraiment indépendant se doit de ne dépendre de personne, même pas de Dieu."

"LE désir commence toujours par une fringale de l'esprit."

"L'ERREUR procure la connaissance, mais rarement la richesse."

"LE meilleur moyen de se débarrasser d'un ennemi, c'est de l'aimer."

"LES bonnes manières sont presqu'à coup sûr un indice de bonne moralité."

"LE bien a aussi ses apparences, comme la rose a des épines."

"L'INTELLIGENCE seule ne suffit pas pour acquérir la foi; il faut aussi l'amour et l'humilité."

"L'HOMME a inventé l'irresponsabilité aux seules fins d'excuser sa méchanceté et son égoïsme."

"TROP de politesse, c'est aussi faire de la politique."

"TOUS les grands hommes sont des êtres rêveurs."

"IL ne faut jamais oublier que la vie nous fait toujours payer, un jour ou l'autre, ce qu'elle nous donne."

"QUAND la religion ne dérange pas celui qui y adhère, elle est toujours suspecte."

"CE n'est qu'en lâchant quelque chose qu'on peut espérer attraper quelque chose."

"L'HOMME calme est toujours le plus fort."

"LES pas du sage et de l'homme au grand coeur sont toujours guidés par Dieu lui-même."

"L'ENDETTEMENT commence toujours le jour où l'on croit avoir obtenu quelque chose pour rien."

"QUI veut la réussite doit avoir le courage et la volonté de se fatiguer."

"LES seules choses qui peuvent nous ennuyer ou nous blesser sont celles dont nous avons conscience."

"ON passe une bonne partie de sa vie à désirer sa propre mort; et lorsqu'elle se présente enfin au rendez-vous, elle arrive toujours au mauvais moment."

"ON se console toujours en se disant que ceux qui sont morts n'ont pas eu le temps de souffrir."

"PLUS un homme acquiert de connaissances, moins il vit."

"C'EST dans les livres que les enfants découvrent enfin les secrets de leurs parents."

"L'OCCUPATION: voilà le meilleur antidote à la tentation."

"LA bonne humeur: voilà l'huile qui sert à huiler les roues de la vie."

"LA sagesse, c'est le seul véritable héritage qui peut se transférer de père en fils."

"CE qui peut se faire en tout temps ne doit jamais se faire."

"TOUTE grande oeuvre commence d'abord par un premier geste."

"QUI est silencieux n'est jamais pris de court."

"S'IL est important de demeurer attentif aux idées des autres, il est essentiel de l'être aux siennes."

"LA spiritualité est toujours synonyme de bonne santé mentale."

"QUAND un homme a confiance en lui-même, les autres ne tardent pas à lui porter leur confiance."

"IL ne faut jamais désespérer: car en toute chose, les meilleures solutions sont souvent les dernières auxquelles on pense."

"C'EST toujours dans le succès du mari et le bonheur des enfants que réside la gloire d'une épouse."

"LE conseil du sage est toujours plus utile qu'agréable à recevoir."

"LES mites peuvent avoir raison même des plus beaux vêtements."

"CE n'est pas l'homme qui s'est attribué le titre de 'chef de famille', mais Dieu lui-même qui lui a donné."

"IL connaît toujours beaucoup de choses celui qui sait retenir sa langue."

"BEAUCOUP de gens sont tombés par la lame de l'épée, mais encore plus par les mots de la langue."

"MIEUX vaut être mal aimé que pas aimé du tout."

"ON conteste les vivants, mais on loue toujours les morts."

"ON se tient à l'écart des vivants, mais on prie les morts."

"QUI n'a que des petits buts ne fournit que des petits efforts."

"SE fixer des buts précis à atteindre: voilà ce qui donne de l'orientation à la vie."

"À force de garder ses idées pour soi, on finit même par les oublier."

"DANS vos prières, assurez-vous toujours de demander des choses auxquelles vous avez droit et que vous serez en mesure d'assumer."

"TOUTE prudence devient de la crainte lorsqu'elle est excessive."

"IL est toujours plus facile de philosopher assis dans un fauteuil que de s'impliquer dans le feu de l'action."

"LES bons mots ne coûtent pas plus cher que les mauvais."

"UN bon nom garde toujours son lustre, même dans l'ombre."

"CE qui ne coûte rien vaut généralement rien."

"UNE fausse amitié: voilà qui est pire qu'une guerre ouverte."

"C'EST en se remémorant ses propres erreurs qu'on parvient le mieux à pardonner celles d'autrui."

"QUICONQUE laisse les autres choisir à sa place abandonne sa liberté."

"DES objectifs vagues engendrent toujours des résultats incertains."

"MIEUX vaut une blessure reçue par accident qu'une blessure donnée par vengeance."

"LE meilleur sol peut tout aussi bien faire pousser les mauvaises herbes que les plus belles fleurs."

"DIEU ne refuse jamais son concours à celui dont l'objectif est noble et contribue pour le bien-être d'autrui."

"QUI a confiance en soi ne doute jamais de ses possibilités."

"QUI se remémore ses fautes passées ouvre la porte aux futures."

"C'EST la conscience de nos échecs qui est à la base de tous nos échecs."

"LE désespoir, voilà le repaire des lâches."

"QUI a bonne conscience n'a rien à expliquer."

"PARTIR, c'est un peu refaire sa vie."

"QUI se tient loin de la glace ne court pas le risque de glisser."

"CELUI qui ne se repent pas de son péché commet une double offense."

"L'HOMME bon est toujours satisfait de lui-même."

"ON ne doit jamais s'attendre à recevoir quoi que ce soit si l'on n'est pas disposé à y mettre le prix."

"MIEUX vaut se tromper d'amour que d'aimer l'erreur."

"LES bonnes choses de la vie ne sont jamais à vendre."

"QUI est hors de soi voit toujours le mal partout."

"QUAND l'amour disparaît, les fautes fleurissent à profusion."

"UNE faute confessée est à moitié pardonnée."

"MIEUX vaut une vie d'amour que l'amour d'un instant."

"LA bonté: voilà la beauté suprême."

"ON n'a pas à rudoyer la conscience: il suffit de l'éclairer pour qu'elle fonctionne."

"ON ne peut vraiment se permettre de critiquer une action qu'en produisant soi-même une action meilleure."

"IL ne faut jamais se contenter de faire mieux que ses prédécesseurs ou ses contemporains, mais toujours chercher à être meilleur que soi-même."

"IL faut mouiller son coeur de larmes afin de l'empêcher de faner."

"LA force dit ce qu'il faut faire; l'amour, lui, montre ce qu'il ne faut pas faire."

"AVEC la force on mène les hommes; et avec l'amour, on s'allie les hommes."

"ON se soumet à la dictature, mais on se donne à l'amour."

"LA grandeur d'une nation se mesure toujours dans sa façon qu'elle a de respecter les minorités."

"LE pouvoir tend à la corruption; et le pouvoir absolu tend à la corruption absolue."

"UN grand homme est un homme méchant dès l'instant qu'il utilise son influence plutôt que son autorité."

"POUR ce qui est du temps, le riche, comme le pauvre, sont sur un même pied d'égalité: tous les deux en ont la même quantité et tous les deux peuvent en user à leur guise."

"EN tout, il n'y a qu'une seule façon combinée de prouver notre bonne volonté: soit en donnant intensément de notre temps, de notre personne, de notre attention, de notre énergie, de notre affection et de notre amour."

"LE mensonge choque parfois: mais la vérité, elle, choque toujours."

"C'EST, bien souvent, que l'espérance de demain qui fait vivre aujourd'hui."

"SEULS nos vertus et nos vices peuvent nous survivre après notre mort; l'argent, lui, ne nous survit pas, car il ne nous appartient pas."

"LE langage de la vérité est toujours simple à comprendre; ce n'est qu'aux yeux des méchants qu'il est voilé."

"ON peut omettre une vérité par ignorance, mais on en tord toujours le sens par méchanceté."

"LE commencement de la sagesse consiste à appeler chaque chose par son nom."

"QUI ne croit rien avale n'importe quoi."

"LE patriotisme en politique est comme la foi en religion: quand tous les deux ne sont pas raisonnables, ils peuvent mener au fanatisme comme à la superstition."

"L'ABSENCE de connaissance signifie toujours qu'il y a absence de liberté."

"SI Dieu a établit des limites à la sagesse humaine, il a, par contre, laissé toute liberté à l'humanité pour qu'elle puisse étaler au maximum sa stupidité."

"IL faut toujours interpréter un mauvais tempérament comme un signe d'infériorité."

"QUI résiste au péché est libre; mais celui qui succombe à ses tentations devient l'esclave de ses propres bêtises."

"QUI a en superflu possède les nécessités d'autrui."

"LA liberté de parole va toujours de pair avec la liberté de connaissance."

"UN peu de philosophie peut entraîner un être à l'athéisme; mais beaucoup de philosophie peut l'entraîner au doute."

"LA vraie connaissance ne se complaît que chez les êtres ayant une grande dignité."

"UN homme pense selon ses inclinations, parle selon sa connaissance, et veut toujours agir selon ses droits."

"ON peut forcer un homme à mourir mais on ne peut jamais le forcer à croire."

"LA compréhension est la récompense de la foi."

"TOUTE religion qui n'est pas en parfaite harmonie avec la raison, et qui n'améliore pas l'humanité est de l'imposture."

"DÈS l'instant où un peuple perd son autorité, alors ses droits ne sont plus respectés."

"LE progrès d'une civilisation se mesure toujours au progrès moral des peuples de son époque."

"TOUT être qui ne produit pas nuit irrémédiablement au progrès."

"TOUTE progapande qui enchaîne l'esprit devient de la dictature en fermentation."

"TOUT homme qui est ignorant est un être dangereux."

"CE n'est que lorsque la controverse commence avec soi-même qu'on avance enfin dans la vie."

"L'ÊTRE ignorant et insensé abuse toujours de la liberté."

"MIEUX vaut dix coupables impunis qu'un innocent puni."

"LE désir du pouvoir: voilà qui, jadis, causa la perte des anges, et qui, de tout temps, cause la perte des humains."

"IL n'y a de la vraie richesse que dans la distribution; le reste n'est pas autre chose que de la vanité."

"LA moitié de l'humanité admire les antiquités; l'autre moitié a sans cesse soif d'un plus grand nombre de nouveauté; mais seul l'être qui jouit pleinement de la réalité est vraiment sage."

"IL n'y a que trois façons d'acquérir la connaissance: l'étude, le raisonnement et l'expérience."

"L'OPINION publique est toujours une source d'influence permanente."

"LA science n'est faite, bien souvent, que des rêveries des ignorants."

"UNE grande idée fait toujours mal à enfanter."

"BIEN souvent, la plupart des opinions de la majorité des humains ne sont que les porte-voix de leurs passions."

"QUAND un peuple commence à se corrompre, alors les libertés sont près de disparaître."

"UN mensonge, c'est une vérité qui porte un masque."

"CHAQUE chose susceptible d'être crue est une image de la vérité."

"LA société prépare le crime, le criminel le commet."

"LA vraie foi est un acte de générosité, et celui qui ne croit rien n'a rien à donner."

"PENSER c'est, pour bien des gens, la pire des tortures."

"LA principale occupation pour le pauvre consiste à réaliser les idées du riche."

"CE n'est que lorsque nous approchons enfin du grand but de notre vie que nous sommes finalement en mesure de peser nos opinions et connaître la vraie valeur de notre existence."

"IL ne faut jamais confondre solitude et paix.

"L'HOMME est toujours porté à croire volontiers ce qu'il souhaite."

"LA plupart du temps, l'homme se tourne vers Dieu que pour lui demander l'impossible."

"LA prostitution de la chair va toujours de pair avec la prostitution de l'esprit."

"SEULE la réalité de l'amour peut rendre la liberté possible."

"SEULE la force des mots rend possible la connaissance du coeur des hommes."

"L'ÊTRE supérieur a la vérité à coeur; et l'être ordinaire, lui, ne pense qu'à son ventre."

"IL y a toute une marge entre le fait de connaître la vérité et aimer la vérité."

"C'EST l'homme qui grandit la vérité, et non la vérité qui grandit l'homme."

"L'IGNORANCE, c'est la nuit de l'esprit."

"L'ÊTRE supérieur respecte l'opinion d'autrui, même s'il ne s'y range pas; tandis que l'être inférieur, lui, se range à n'importe laquelle opinion, et souvent, ne la respecte pas."

"L'ARGENT n'est là que pour être utilisé, non pour acquérir la sagesse."

"POUR ce qui est du développement des facultés innées à chaque être, tous les hommes sont égaux."

"IL y a deux chemins qui mènent au préjudice et à l'impartialité: l'un consiste à être complètement ignorant, l'autre à être totalement indifférent."

"LA croyance en l'existence d'êtres supérieurs aux humains est toujours étroitement reliée avec la raison humaine."

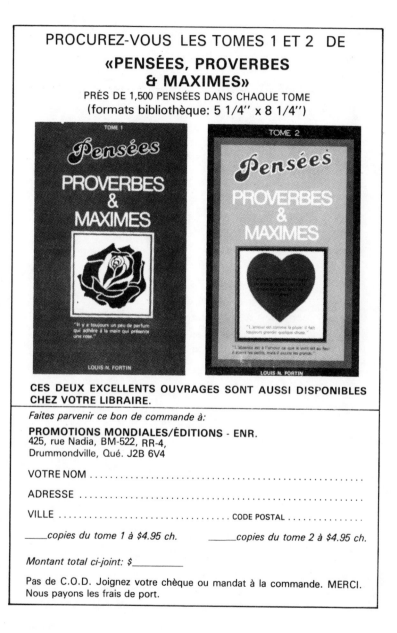

ACHEVÉ   D'IMPRIMER
EN   DÉCEMBRE   1980
SUR   LES   PRESSES   DE
PAYETTE   &   SIMMS   INC.
À SAINT-LAMBERT, P.Q.